트럼프는 왜 네트워크 마케팅을 하고 싶어 했을까?

트럼프는 왜 네트워크 마케팅을 하고 싶어 했을까?

김하준 지음

| Prologue |

내가 거인이 되자

1

우리는 편견자들의 지배를 받고 있다

"남의 시선 때문에 내 꿈을 포기한 적이 있지 않은가?"

"남의 반대 때문에 내 기회를 놓친 경우가 있지 않은가?"

우리는 생각보다 남의 눈 때문에 판단이 흐려질 때가 많다. 남의 시선 때문에 내가 쥘 수 있는 기회를 놓칠 때도 많다. 시대가 빠르게 변하고 있지만 아직도 유교적 체면과 평판이 우리의 생각과 행동을 지배하고 있기 때문이다. 심지어 내가 정말 원하는 일인데도 가족이나 친구의 반대로 포기하는 경우도 있다. 인간사회는 참견이 참 많은 사회다.

그렇다고 내 선택을 반대하거나 자기 선택을 강요하는 사람들이

나보다 더 많은 고민을 해주는 것도 아니다. 내 일에 시간과 정성을 들일 생각도 없고, 여유도 없다. 자기 삶도 바쁘고 힘들기 때문이다. 대부분은 그저 주변에서 주워들은 '서당개 풍월 지식'으로 내 이야기를 듣자마자 즉흥적으로 판단한다. 누가 그러는데 이렇다더라, 저렇다더라 하는 풍문으로 모든 것을 결론 짓는 것이다. 내게는 인생이 걸린 일인데 그(혹은 그녀)는 순간의 판단 혹은 느낌으로 반대한다. 제대로 공부해본 적도, 경험해본 적도 없으면서 말이다.

안타깝게도 많은 사람이 본인이 아닌 누군가의 시선과 평가, 반대와 강요에 자신의 삶과 꿈이 좌지우지되는 인생을 살고 있다. 때로는 그렇게 사는 자신에게 분노하고, 우울해하면서도 '남들도 그렇게 사는데, 뭘!'이라며 체념한 채 살아간다. 모두가 가는 길에서 나 홀로 벗어나는 것이 두렵기 때문이다. 물질적으로는 풍요로운데 정신적으로는 행복하지 않은 사람들이 많은 이유다. 내가 주인이 아닌, 남에게 빼앗긴 내 삶, 내 꿈 때문에 말이다.

네트워크 마케팅도 대표적인 사례다. 수많은 장점에도 불구하고 남들의 시선과 평가가 두려워 많은 이들이 시작조차 하지 못한다. 어렵게 시작했다가도 타인에게 한두 번 상처를 받으면 쉽게 나가떨어진다. 필자도 그랬다. 친구 따라 강남 가듯 몇 번 시도해보았지만 기존의 네트워크 마케팅 사업자들이 장담하는 것처럼 진입하기가 쉽지 않았고, 사회적 평판도 두려웠다. 그래서 매번 제대로 해보지도 않고 그만두곤 했다. 그러면서 편견만 쌓아갔다.

더구나 필자는 20년 이상 교육자로 살아왔고, 여러 권의 책을 쓴 작가다. 사회적 평판과 명예로 살아가는 작가에게 '네트워커'라는 타인의 편견이 두려웠다. 그래서 퇴직 후 가장 친하게 지내는 절친이자, 100억대 자산가이며, 연봉이 2억에 가까운, 유명한 출판에이전시 Y 대표가 진지하게 제안했음에도 일언지하에, 야멸차게 거절했다.

"대표님, 전 이제 네트워크 사업은 절대 안 할랍니다. 퇴직 후 가장 많이 괴롭힌 사람들이 네트워크 마케팅 사업자들이었는데 진입하기도 쉽지 않고 위험도 많이 따르더라고요!"

대다수가 네트워크 마케팅을 제안받는다면 대개 비슷하게 반응할 것이다. 그런데 몇 개월 후, 이런 나조차 네트워크 마케팅 사업을 거부할 수 없는 일이 발생했다. 평소 건강이 좋지 않아 이런저런 영양제를 복용하던 아내가 영양제로 건강을 회복한 Y 대표의 사례를 듣고 자신도 같은 것을 복용해보고 싶다고 한 것이다.

Y 대표는 10여 년 전에 암으로 갑상선을 모두 잘라냈다. 몇 년 후 담낭에 돌이 생겨 그마저도 잘라냈다. 신체에 중요한 두 개 기관이 없는 것이다. 지금은 건강이 좋아져서 "저는 쓸개 빠진(담낭이 없는) 남자입니다!"라며 우스갯소리를 할 정도지만 5년여간 곁에서 지켜보기 안쓰럽고 불안할 정도로 건강이 위험한 상태였다.

그는 갑상선과 담낭 제거 후 많은 후유증에 시달렸다. 위암 전 단계로 위벽이 괴사되는 장상피화생, 과민성대장 증상, 전립선염 등으로 늘 힘들어했다. 수시로 찾아오는 혓바늘 통증, 대장암의 전조 증상이라는 극심한 척추 통증 등을 달고 살았다. 하지만 병원에서는 큰 도움을 받지 못했다.

건강이 악화될수록 예민해지고 귀도 얇아졌다. 사람들이 좋다는 것이라면 가격 불문하고 양약, 한약, 영양제 가릴 것 없이 쫓아다니며 복용하는 것을 수년간 옆에서 안타깝게 바라볼 수밖에 없었다. 심지어는 청담동의 유명한 한의원 처방에 따라 월 300만 원짜리 한약을 먹고, 수개월 동안 삼시 세끼 흰죽만 먹고 살았다. 하지만 그 고행마저 몸만 축내고 효과를 보지 못했다.

그런 사람의 건강이 '한날' 영양제 덕분에 좋아졌다는 이야기를 들은 아내가 그 영양제를 먹어보고 싶다는 것이다. 그래서 Y 대표를 다시 찾아갔다.

"대표님, 집사람이 대표님이 드시는 영양제를 복용해보고 싶다고 하네요. 사업은 절대 안 할 거니까 사업은 시키지 마시고요, 아내가 먹어보고 싶다고 하니 소비자만 하겠습니다."

라고, 큰소리를 쳤다. 가입은 하겠지만 절대 사업자는 되지 않겠다는 스스로의 다짐이기도 했다.

그런데 영양제를 한 달 정도 복용한 아내가 사업을 해보고 싶다고 말했다. 십여 년간 아이를 돌보기 위해 전업주부를 자처했던 아내가 사람 만나는 일이 전부라고 할 수 있는 네트워크 마케팅 사업을 해보겠다는 것이다. 대한민국 남편이 하겠다는 일은 아내가 말릴 수 있다. 하지만 대한민국 아내가 하겠다는 일을 남편이 말리기는 쉽지 않다. 필자도 그랬다. 십수 년 만에 처음으로 아내가 해보고 싶다는 일을 말릴 수가 없었다. 오히려 지원자가 되어주어야 할 상황이 되었다.

뜻하지 않게 그날부터 네트워크 마케팅에 대한 학습과 경험이 시작되었다. 필자는 오랜 세월 꿈과 독서법을 강의하고, 자기계발에 관한 책을 여러 권 집필해온 자기계발 전문가다. 그것을 가능하게 해준 핵심비법은, 알고 싶은 분야가 생기면 그 분야 전문가들의 책을 읽고, 고수를 만나고, 세미나를 수강하고, 커뮤니티 활동을 반복하는 습관이다. 짧은 기간에 전문가가 되기 위한 방법으로 이만큼 좋은 프로세스가 없기 때문이다. 아울러 남들의 생각과 판단 기준이 아니라 나의 생각과 판단 기준을 올바르게 정립하기 위해서도 반드시 필요한 프로세스다.

그래서 이번에도 네트워크 마케팅 전문가들의 책을 읽어보고, 고수를 만나보고, 그들이 하는 세미나를 수강해보고, 그들이 모여 있는 커뮤니티에 참여해보았다. 그렇게 학습한 이론을 현장에서 직접 경험하고, 반복적으로 적용해보았다.

직접 학습하고, 경험해보니 하나의 깨달음이 찾아왔다. 필자 역시 자기주도성을 가지고 결행하는 '시도자'가 아니라 남들의 시선에 갇혀 체념하고 사는 '포기자' 중 한 명이었다는 것이다. 게다가 주변에는 제대로 학습해본 적도, 경험해본 적도 없으면서 반대만 일삼는 '편견자'들이 즐비했다. 그들이 네트워크 마케팅에 대한 편견을 끊임없이 퍼트리고 있었다.

아마 대다수가 필자와 비슷하게 살아가고 있을 것이다. 누가 뭐라든 내 꿈을 향해 돌진하는 '시도자'보다 남들의 시선과 평가가 두려워 내 꿈을 체념하고 사는 '포기자' 혹은 누군가의 꿈을 가로막는 '편견자'로서의 삶 말이다. 꿈을 꾸고 도전하는 시도자보다는 포기자와 편견자를 오가는 삶. 우리는 어렸을 때부터 그렇게 길들여져 왔다. 내 꿈은 포기하고, 남의 꿈은 반대해서 모두 함께 부모, 학교, 사회가 원하는 길만 가도록 말이다.

시도자가 극소수인 것 혹은 시도했다가도 쉽게 포기자가 되는 것은 편견자들의 세력이 강해서다. 그들은 시기, 질투, 평판, 반대, 강요로 본인들이 가지 않는 길을 가는 사람을 방해하기 일쑤다. 그래서 세상은 편견자들이 지배하고 있다고 해도 과언이 아니다. 네트워크 마케팅도 마찬가지다. 시도를 하지 않거나 시도했다가도 쉽게 포기하는 대다수의 사람들은 남들의 편견이 두려워서였다.

내 꿈, 내 기회를 나 스스로 판단하고 선택하기 위해서는 편견자들이 누구인지 제대로 알아야 했다. 내 생각과 판단을 흐리는 그들의 의견이 진짜 옳은 것인지, 진짜 나를 위한 것인지 알아야 하기 때문이다. 나는 학습과 경험을 통해 편견자는 3가지 부류라는 것을 알게 되었다. '서당개', '실패자', '추종자'가 그들이다.

'서당개'는 네트워크 마케팅을 잘 모른다. 학습한 적도 없고, 경험한 적도 없다. 그저 주워들은 서당개 풍월을 읊고 다닐 뿐이다. 남들에게 주워들은 풍월만 가지고 제법 전문가인 척 조언과 충고를 서슴지 않는다. 어느 신문 기사에서 이야기했던 것처럼 '아는 것은 없으면서 신념만 강한 사람'만큼 무서운 사람은 없다. 그런 사람의 의견과 편견 때문에 내 꿈과 기회를 포기하는 것은 더 무서운 일이다.

'실패자'는 네트워크 마케팅을 싫어한다. 네트워크 마케팅 사업을 해보았으나 실패만 경험한 사람이다. 성공을 경험하지 못했으니 싫어할 수밖에 없다. 그래서 무작정 "네트워크 마케팅은 안 돼!"라며 시도자를 뜯어말린다. 이러한 경향을 심리학에서 확증편향(Confirmation bias)이라고 한다. 포도가 너무 높이 달려 있어 따먹지 못한 여우가 '저 포도는 시어서 먹지 못할 거야!'라고 생각해버리는 것처럼 실패자는 실패하는 이유만 찾는다.

이것은 네트워크 마케팅뿐만 아니라 어떤 사업에도 통하는 자명한 사실이다. 이상한 회사를 선택하면 실패한다. 좋은 회사를 선택했더라도 이상한 동료를 선택하면 실패한다. 좋은 회사, 좋은 동료를 선택했더라도 본인이 이상한 자세로 사업하면 실패한다. 실패의 원인은 대부분 사업 자체보다 사람에게 있다. 그럼에도 실패만 해온 사람의 의견과 편견 때문에 내 꿈과 기회를 포기하는 것 역시 무서운 일이다.

마지막으로 '추종자'가 있다. '서당개'는 남들에게 주워들은 풍월이라도 있고, '실패자'는 직접 경험이라도 해보았지만 '추종자'는 남들에게 주워들은 풍월도 없고, 직접 경험한 적도 없다. 오로지 세력의 크기만 보고 '서당개' 또는 '실패자' 편을 드는 사람들이다.

인간의 장 속에는 3가지 균이 있다고 한다. 유익균, 중간균, 유해균이다. 평소에는 장 속에서 적정한 균형을 유지하고 있다가, 장 속 환경이 불균형해지면 중간균은 유익균과 유해균 중 세력이 큰 쪽으로 붙는다고 한다. 추종자가 딱 그런 경우다. 보고 들은 적도, 경험한 적도 없지만 그건 중요한 것이 아니다. 싸우면 이길 것 같은 편을 든다. 심지어 이들은 자신이 보고 들은 적도, 경험한 적도 없는 사람이라는 사실을 숨기기 위해 가장 요란하고, 격렬하게 상대편을 공격한다. 이런 사람들의 의견과 편견 때문에 내 꿈과 기회를 포기하는 것 역시 무서운 일이다.

필자는 치열한 학습과 직접 경험을 통해 이러한 판단이 서기까지 20년 같은 2년을 보냈다. 그 결과 깨달은 사실은 '올바른 회사, 올바른 동료, 올바른 자신'이라는 삼위일체만 이룰 수 있다면 네트워크 마케팅만큼 풍요와 자유의 기회가 넘치는 1인기업 사업모델은 없다는 것이다.

기업들은 '학력이 낮다', '나이가 많다', '장애가 있다'며 고용도 해주지 않으면서 "네트워크 마케팅은 나쁜 사업이니 해서는 안 된다"라며 섣불리 평가하고 지적만 하는 것은 경솔하고 무책임한 일이다. 말리는 사람들 역시 그들의 삶을 도와주지도 못하면서 "네트워크 마케팅은 악한 사업이니 해서는 안 된다"라고 섣불리 평가하고 지적만 하는 것은 경솔하고 무책임한 일이다.

네트워크 마케팅 사업자들의 목구멍도 포도청이다. 먹고살 기회도, 도움도 주지 못하면서 그들 스스로 먹고살기 위해 피땀 흘리며 노력하는 소중한 직업을 어쭙잖은 지식과 느낌으로 '나쁜 사업이다', '악한 사업이다'라고 단언하고, 재단하는 것은 경솔하고 무책임한 일이다.

필자가 대기업 퇴직 후 6년 동안 가장 뼈저리게 경험하고, 느낀 사실이 있다. 사기꾼은 네트워크 마케팅 시장뿐만 아니라 다른 시장에도 차고 넘친다는 것이다. 주식 시장에도, 부동산 시장에도, 제조업 시장에도, 유통업 시장에도, 심지어 종교 시장에도 사기꾼이 넘친다. 정치판은 말할 것도 없다.

어떤 시장에는 착한 사람만 있고, 어떤 시장에는 악한 사람만 있다? 절대 그런 일은 없다! 중요한 것은 시장의 문제가 아니라 사람의 문제다. 네트워크 마케팅 시장에도 좋은 회사, 좋은 사람들이 분명 존재한다. 실패를 반복하지 않으려면 좋은 회사와 좋은 사람을 선택한 후 내가 좋은 사람이 되어 진심과 정성을 다해 네트워크 마케팅 사업을 하면 되는 것이다. 정성이 실력이다.

네트워크 마케팅 사업은 '기회는 편견 너머에 있다'는 사실을 뼈저리게 느끼게 해준 짜릿한 도전이었다. 내 생각이 아닌 남들의 편견과 싸우는 전투였다. 그 도전과 전투를 통해 깨달은 것은 누가 뭐라고 해도 N잡 시대 최고의 1인기업 사업모델은 네트워크 마케팅이라는 것이다. 이 책은 필자가 발견한 편견 너머 기회를 보여주기 위해 쓴 책이다.

그 깨달음을 독자들도 쉽게 이해하고 공감할 수 있도록 다음 꼭지에 이미지로 정리해보았다. 책을 다 읽기 힘들다면 다음 꼭지와 1장만 읽어도 된다. 부디 꼼꼼하게 읽고, 되새김하여 더 이상 남의 시선이 두려워 내 기회를 보지 못하는 장님이 되지 않기를 바란다.

2

난쟁이가 될 것인가 거인이 될 것인가

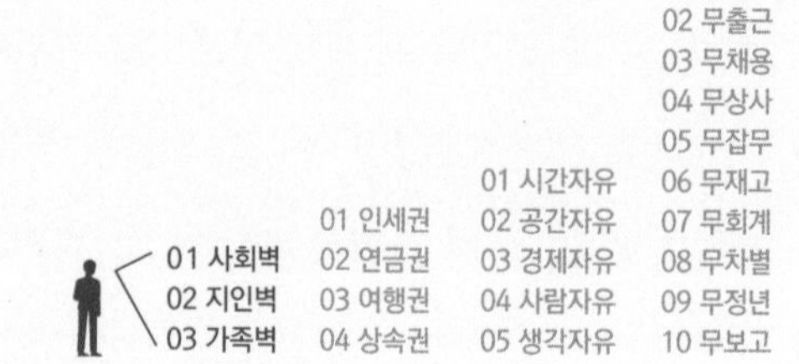

[그림1] 남의 시선에 갇혀 기회를 보지 못하는 난쟁이

눈높이가 낮은 난쟁이는 장벽 너머 기회를 보지 못한다. 용기가 없는 '마음의 난쟁이'는 남의 시선 때문에 자기 앞에 놓인 기회를 보지 못한다. 그들에게는 자신의 생각과 의지보다 사회적 평가, 지인의 시선, 가족의 반대라는 타인의 장벽이 더 높다. 그래서 그 너머에 있는 수많은 기회(10무, 5자, 4권)를 쳐다볼 엄두도 내지 못한다. 성공하

고 싶어 쭈뼛쭈뼛, 기웃기웃하다가도 한두 번 상처를 입으면 지레 포기하고 나가떨어진다.

그들은 대부분 "꿈이 뭐예요?"라는 질문에 당황한다. 어릴 때 몇 번 자신이 선택한 꿈을 타인에 의해 좌절당한 후 더 이상 좌절을 반복하기 싫어한다. 그래서 자기 선택은 포기하고 부모, 스승, 사회의 선택에 순응하며 살아간다. 포기가 학습되었다. 새끼 코끼리 때 묶인 말뚝에서 벗어나려고 발버둥 치다가 수없이 겪은 좌절을 더 이상 반복하기 싫어 자기 몸의 수만 분의 1도 안 되는 작은 말뚝에 묶여 평생 순응하며 살아가는 어른 코끼리처럼 말이다.

1967년 미국의 심리학자 마틴 셀리그만(Martin Seligman)과 스티브 마이어(Steve Maier)가 24마리의 개를 대상으로 실험을 했다. 세 개의 상자에 개들을 넣은 다음, A상자에는 개가 코로 레버를 움직이면 전기 충격이 멈추고, B상자에서는 레버를 고정시켜 개가 아무리 노력해도 전기 충격이 멈추지 않고, C상자에서는 전기 충격을 주지 않았다. 24시간 후 모든 개들을 장애물만 넘으면 전기 충격을 피할 수 있는 상자에 넣어 보았더니 A, C상자에 있었던 개들은 장애물을 넘어 전기 충격을 피하는데, B상자에 있던 개들은 장애물을 넘지 않고 전기 충격을 고스란히 받아들였다.

이런 현상을 심리학에서는 '학습된 무기력(Learned Helplessness)'이라고 한다. 힘든 일을 피할 수 없는 상황이 반복되면 피할 수 있는 상황이 돼도 피하거나 극복하려는 시도조차 하지 않고 자포자기하는 현상을 말한다.

그런데 이 현상은 개나 코끼리 같은 동물들에게만 국한된 것이 아니다. 스스로를 만물의 영장이라고 자화자찬하는 인간들에게도 흔히 있는 현상이다. 여기서 이야기하는 '마음의 난쟁이'처럼 말이다. 성장기에 내가 아닌 누군가의 비난, 평가, 강요, 지적 때문에 자신의 꿈이나 생각이 반복적으로 꺾인 경험을 한 후 어른이 되어서는 스스로 알아서 자신의 꿈이나 생각을 포기한 채 살아가는 사람들 말이다.

네트워크 마케팅 분야에도 그런 난쟁이들이 많다. 네트워크 마케팅의 유일무이한 장벽인 타인의 '편견'이 무서운 난쟁이는 그 편견이 만들어낸 사회벽, 지인벽, 가족벽 너머에 있는 수많은 기회를 알아채지 못한다. 알아채도 남들의 시선과 평가가 두려워 시도를 못하거나, 시도를 했다가도 금방 포기한다.

거인은 장벽 너머 기회를 훤히 내려다본다. 용기로 가득 차 있는 거인은 남의 시선이 아니라 자신의 시선에 의해 내 삶과 내 꿈을 스스로 선택한다. 시련이 와도 쉽게 포기하지 않는다. 남이 아닌 내가 내 꿈을 주도하는 삶을 살아간다.

그들은 대부분 당차고 설레는 꿈을 가지고 있다. 그들 역시 어릴 때 자기가 선택한 꿈을 타인에 의해 좌절당하곤 했지만 그럼에도 자신이 선택한 꿈을 절대 포기하지 않는다. 고난을 걸림돌이 아니라 디

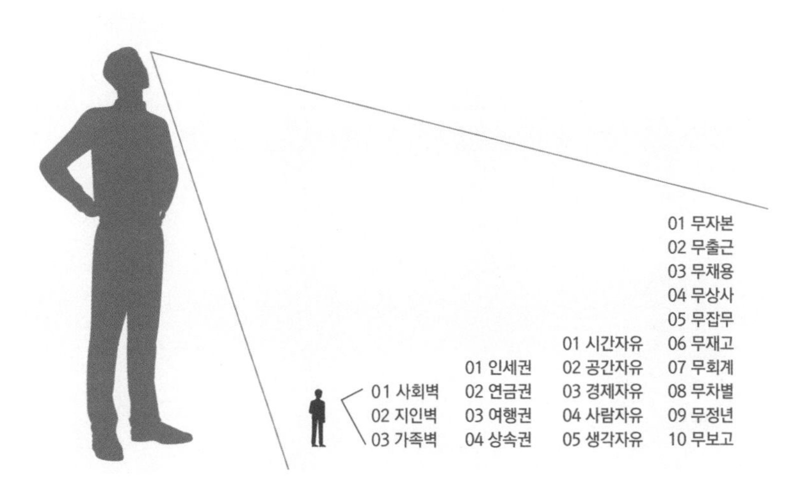

[그림2] 자기 시선으로 풍요와 자유의 기회를 누리고 사는 거인

딤돌로 생각한다. 타인에 의한 상처와 좌절보다 꿈을 포기한 채 살아가는 자신을 바라보는 상처와 좌절이 더 아프다는 것을 잘 안다. 그들은 새끼 코끼리 때 자신을 묶었던 말뚝을 가볍게 뽑아낸 후 풍요와 자유가 넘치는 숲을 찾아 떠나는 몇 안 되는 어른 코끼리다.

네트워크 마케팅 분야에도 그런 거인들이 많다. 그들에게는 타인의 편견과 시선은 중요하지 않다. 그래서 그 편견이 만들어낸 사회벽, 지인벽, 가족벽 너머에 있는 수많은 기회를 훤히 내려다본다. 그들 역시 네트워크 마케팅에 대한 사회적 편견이 얼마나 강한지 잘 알고 있다. 하지만 내가 아닌 남들의 시선과 평가 때문에 내 꿈을 포기해서는 안 된다는 사실을 너무나도 잘 알고 있다. 그래서 기회라는 확신이 들면 용기 있게 시도하고, 수시로 겪는 상처와 좌절에도 쉽게 굴복하지 않는다. 안전지대에 쪼그리고 앉아 꿈만 꾸고 있는 것이 아니라 스스로 자기 꿈을 선택하고, 몰입하고, 쟁취한다.

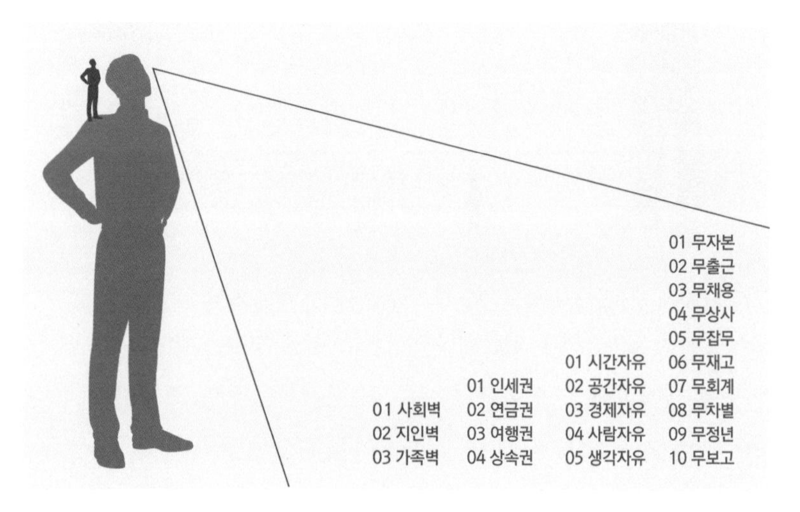

[그림3] 난쟁이를 자기 어깨에 올려 편견 너머에 있는 기회를 보여주는 거인

많은 사람들이 '거인의 어깨에 올라서라!'라고 한다. 만고의 진리를 자신만이 알고 있다는 듯이 자신 있게 권하는 말 중 하나다. 하지만 나는 '너 자신이 거인이 돼라!'라고 권하고 싶다. '내 인생의 주인공이 돼라!'라는 의미다. 내 삶, 내 꿈을 내가 선택하고, 내가 도전하고, 내가 쟁취하라는 의미다. 언제까지 남의 어깨만 탐하며 살 것인가?

물론 성장하고 성공하기 위해서는 거인의 어깨가 반드시 필요하다. 필자 역시 수많은 거인의 어깨를 탐하고, 빌리며 살아왔다. 책을 통해 수많은 거인들을 만났고, 거인을 만나기 위해 일본 동경에 있는 거인의 집까지 찾아간 적도 있다. 여러 거인들을 통해 헤아릴 수 없이 많은 지혜와 영감을 얻었고, 열정과 자극을 얻었다. 감사할 일이다.

하지만 그렇다고 내 삶, 내 꿈을 그들에게만 의지할 수는 없다. 제아무리 위대한 거인이라도 내 삶과 내 꿈에 대해 나보다 더 잘 알고, 나보다 더 관심을 가져주고, 나보다 더 사랑해줄 리는 없기 때문이다.

게다가 늘 거인의 어깨만 탐하고 있다면 나는 영원히 난쟁이일 뿐이다. 거인의 어깨에 올라타기만 했을 뿐 거기에서 배운 지혜들을 내 삶과 내 꿈을 위해 적용하지 않는다면 즉, 내가 거인이 되는 자양분으로 활용하지 않는다면 굳이 거인의 어깨에 올라탈 필요도 없다.

내게 어깨를 빌려줬던 거인들 역시 내가 영원히 난쟁이로 사는 것을 원하지 않았다. 그들이 내게 어깨를 빌려준 이유는 내가 거인이 되기를 바라기 때문이었다. 더 큰 거인이 되어 또 다른 누군가에게 어깨를 빌려주기를 기대하기 때문이었다. 거인의 어깨를 이용만 할 뿐 영원히 난쟁이로 남을 사람이라면 굳이 어깨를 빌려줄 가치가 없으니 말이다.

필자는 아직 작은 거인이지만 네트워크 마케팅 분야에서 단기간에 누군가에게 어깨를 빌려주는 거인이 되었다. 필자가 속한 그룹의 철학인 '정성이 실력이다', '골든 룰(Golden Rule, 내가 대접받고 싶은 대로 남을 대접하자)', '고 기브(Go Give, 내가 먼저 나누자)' 철학을 실천하여 많은 네트워크 마케팅 사업자들에게 강의도 하고, 강의안도 무상으로 공유하고 있다. 힘들게 만든 강의안을 무상으로 준다? 기업 강의를 할 때는 절대 있을 수 없는 일이다. 하지만 지금은 아낌없이 나누고 있다. 또한 월 1회 필자가 저자를 직접 섭외하여 저자특강 기반의 독서경영도 진행하고 있다. 이렇게 하는 이유는 내가 잘하는 것으로 기여하고 헌신함으로써 함께 성공하고, 함께 행복해지기 위해서다. 내가 먼저 그렇게 하면 남도 그렇게 하기 때문이다.

이처럼 단기간에 필자가 작은 거인이 될 수 있었던 첫 번째 이유는, 가까이에 자신의 높은 어깨를 아낌없이 빌려준 큰 거인이 있었기 때문이다. 그녀는 미국계 직접유통 회사에서 17년간 한국 최고 사업자를 이루었던 직접판매유통 업계 거인이다.

수년 전 그녀 산하 전국 리더 사업자 100여 명을 대상으로 필자의 저서 《절대영감》 저자특강을 요청해서 첫 인연을 맺었다. 인재는 어디 가도 인재라고 했던가. 회사가 철수하자 그녀는 지금의 회사로 자리를 옮겨 필자가 속한 그룹을 만들었다. 그러고는 불과 3년여 만에 세계 4위 사업자가 되었다. 기적 같은 속도, 기적 같은 성과다.

그녀는 필자가 생각했던 기존의 네트워크 사업자들과는 달랐다. 네트워크 마케팅 사업에서 철학경영, 독서경영, 나눔경영을 외치고 그것을 기반으로 3년여 만에 전 세계 4위 사업자라는 기적을 보여주었다. 필자 역시 가까이에서 그녀의 어깨 위에 올라설 수 있었기 때문에 편견 너머에 숨어 있는 기회를 볼 수 있었다.

필자가 단기간에 작은 거인이 될 수 있었던 두 번째 이유는, 네트워크 마케팅이 교육사업이기 때문이다. 필자는 네트워크 마케팅에는 초심자지만 교육에는 아시아나항공에서의 경력을 포함해서 22년차 전문가다. 네트워크 마케팅에 대해 부족한 지식과 경험은 그 분야 거인의 어깨를 빌렸고, 교육을 통해 리더를 육성하는 네트워크 마케팅의 핵심역량은 필자가 그간 쌓아온 교육 분야의 지식과 경험을 융합시킨 결과다.

이제 필자의 어깨를 누군가에게 빌려주고자 한다. 남들의 편견과 평가가 두려워 거들떠보지도 않으려 했던 사람, 어렵게 시작했다가 지인이 준 상처 때문에 포기했던 사람들의 연락을 기다린다. 비록 아직 작은 거인이지만 필자의 어깨를 딛고, 필자의 곁에 있는 큰 거인들의 어깨 위로 올라서길 빈다. 그럼 필자보다 더 빠르고 쉽게 더 큰 거인이 될 수 있을 것이다. 거인이 되면 풍요와 자유는 자연스러운 결과다.

세상 모든 사람이 네트워크 마케팅을 할 수도 없고, 그리되어서도 안 된다. 세상이 돌아가기 위해서는 수많은 일이 필요하고, 그 일들에도 기회가 많기 때문이다. 하지만 역사가 잘못 쌓아온 평판 때문에 또는 경험한 적도 없는 남들의 섣부른 편견 때문에 네트워크 마케팅을 무시하고 모른 척하기에는 너무 많은 풍요와 자유의 기회가 숨어 있는 시장이다.

똑같은 과정을 겪어온 필자를 통해, 그리고 그 과정을 담은 이 책을 통해 부디 독자 자신이 거인이 되고, 자기 삶의 주인공이 되는 첫 걸음을 내딛길 빈다.

3

네트워크 마케팅의 본질과 편견

평범한 사람들은 도전을 두려워한다. 다른 사람의 시선과 평가 때문에 자신의 꿈을 쉽게 포기한다. 다른 사람들이 머물러 있는 안전지대에 머물고 싶어 한다. 내가 시도하지 않은 일을 다른 사람이 시도해서 성공하는 것도 싫어한다. 그래서 편견이라는 장벽을 만들어 안전지대에 머무는 자신을 합리화하고, 다른 사람의 시도를 가로막는다.

평범한 것은 죄가 아니지만 포기하는 것은 죄다. 내가 포기한 것을 시도하려는 누군가를 가로막는 것 역시 죄다. 자신이 직접 경험해본 적도 없고, 제대로 학습해본 적도 없으면서, 여기저기서 주워들은 서당개 풍월로 편견을 만들어 자기 꿈을 포기하는 것, 다른 사람의 용기와 시도를 가로막는 것은 죄인 것이다.

그래서 나 자신이 거인이 되어 그런 사람들을 내 어깨 위에 올려주어야 한다. 실패와 좌절이 두려워 안전지대에 머물러 있지만 늘 불안하고, 초조하고, 우울한 사람들을 도와줘야 한다. 자기는 시도하지 않는데 누군가 시도해서 성공할까 봐 남들의 용기와 시도를 경솔하게 가로막는 사람들을 도와줘야 한다.

네트워크 마케팅이 많은 사회문제를 일으킨 것은 분명한 사실이다. 반면, 수십 년 동안 수많은 나라에서 수많은 성공자를 낳고 있는 것 역시 사실이다. 심지어 학력, 장애, 나이 등을 이유로 취업의 기회조차 주어지지 않는 사회적 약자들이 자기 스스로 자신의 삶을 꾸릴 수 있는 기회를 아무런 조건 없이 주는 사업이 네트워크 마케팅이다.

네트워크 마케팅만큼 시공간의 제약, 아부와 사내정치, 회의와 잡무, 보고와 결재 등의 늪에서 자유로운 직업은 없다. 오로지 유통만 대행하면 되는 완벽한 1인 자유기업이기 때문이다. 22년간의 치열한 대기업 취업 생활, 퇴직 후 6년간의 아슬아슬한 창업 경험과 비교했을 때 '이렇게 자유로워도 되나?', '이렇게 단순해도 되나?' 하는 생각이 들 정도로 시간이 자유롭고, 하는 일도 단순한 직업이다. 사회적 편견이라는 장벽만 넘어설 수 있다면 말이다.

네트워크 마케팅 사업모델 자체는 생명체가 아니다. 성품도 없고, 성격도 없다. 무생물인 사업모델이 나쁜 짓을 하는 것이 아니다. 그 사업모델을 악용하는 사람이 나쁜 짓을 하는 것이다. 이상한 회사, 이상한 사람과 사업하면 네트워크 마케팅에서만이 아니라 다른 사업에서도 실패하기 마련이다. 유별나게 '네트워크 마케팅은 나쁘다'라고 하지만 사실은 다른 사업에서도 사돈네 팔촌 재산까지 다 날리고, 사기 치고, 감옥에 가는 사례는 차고 넘친다. 다만, 한 분야로 싸잡아 말하기 힘든 다양한 사업 분야와 달리 네트워크 마케팅은 한 분야로 싸잡아서 마녀사냥을 하기 쉬울 뿐이다.

사람들은 본인과 가족, 친구만 그 대상이 되지 않는다면 마녀를 좋아한다. 내가 실패한 책임, 내가 가난한 책임을 내가 아닌 누군가에게 지우고 싶어 하고, 화풀이 대상으로 삼고 싶어 한다. 그것이 보편적 인간의 본성이다. 지난날 죄 없는 마녀들이 그런 인간들의 본성에 의해 수없이 희생당했다.

네트워크 마케팅은 70년이 넘도록, 수십 개 국가에서 학력, 장애, 나이를 불문하고 부유하고 자유로운 성공자를 무수하게 배출한 사업모델이다. 진짜 마녀였다면 네트워크 마케팅이 탄생했던 선진국에서 그 오랜 세월 동안 가만두지 않았을 것이다. 특히 큰 죄를 지으면 수백 년 형의 징벌적 형벌을 내리는 미국과 같은 나라에서는 네트워크 마케팅 사업자들이 감옥을 가득 채웠을 것이고, 사업모델 자체도 법률에 의해 이미 사라지고 없을 것이다.

하지만 수많은 네트워크 마케팅 회사들이 수십 년간 전 세계 유통시장을 점령해가고 있다. 2021년 한국 진출 30년이 된 암웨이를 비롯하여 수많은 네트워크 마케팅 회사들이 오랜 세월 전 세계 시장에서 승승장구 하고 있다. 심지어 GS홈쇼핑, 종근당, 풀무원, 교원 등 오랜 역사와 전통을 자랑하는 유수의 대기업들도 네트워크 마케팅 시장에 뛰어들거나 뛰어들 준비를 하고 있으니 말이다.

네트워크 마케팅은 마녀가 아니다. 오히려 착하고 공정한 기회의 보고(寶庫, 귀중한 물건을 간수하는 창고)다. 평범한 사람들, 사회적 약자들의 부의 추월차선이다. 검증된 회사, 좋은 동업자를 선택한 다음, 자신 역시 올바른 태도와 자세로 열심히 노력한다면 누구에게나 풍요의 기회, 자유의 기회를 보장하기 때문이다.

단기간에 떼돈을 벌겠다는 욕망으로 대박을 장담하는 회사나 사람을 선택해서 생기는 피해와 실패는 네트워크 마케팅 사업모델의 책임이 아니다. 그런 선택을 한 '사람의' 책임이다. 좋은 회사와 좋은 사람을 골라 놓고도 피해자를 양산하고, 실패를 거듭한다면 그것 역시 네트워크 마케팅 사업모델의 책임이 아니다. 스스로 올바른 태도와 자세로 사업을 하지 않은 '사람의' 책임이다.

필자는 이 책에서 그 근거를 일목요연하게 제시하고자 한다. 왜 네트워크 마케팅이 N잡 시대(여러 개의 직업이 필요한 시대) 최고의 1인기업 사업모델인지 증명할 것이다. 우리 사회에서 네트워크 마케팅에 대한 편견이 어떻게 만들어졌고, 그 편견에서 벗어나기 위해서는 어떻게 해야 하는지, 그리고 편견 너머에 있는 네트워크 마케팅 사업의 수많은 기회가 어떤 것들인지 보여주겠다.

무슨 일이든 자신이 먼저 이해하고 납득해야 소신과 용기가 생기고, 타인의 시선과 평가에 연연하지 않고 스스로 몰입할 수 있다. 즉, 관점이 변화되는 시점이 인생의 변곡점이다. 부디 이 책을 통해 많은 이들이 인생의 변곡점을 맞이하길 빈다. 최소한 서당개 풍월만으로 다른 사람의 시도와 노력을 가로막거나 폄하하는 실수는 범하지 않길 바란다.

요즘 1인기업으로 대박 나는 비법을 알려준다는 책과 강의가 불티나게 팔리고 있다. 하지만, 1인기업도 기업이다. 창업하고, 경영하는 일은 그들이 장담하는 것처럼 식은 죽 먹기가 절대 아니다. 엄청난 고통과 노력을 감수해야 한다. 그뿐만이 아니다. 그 엄청난 고통과 노력을 감수해도 성공 확률보다 실패 확률이 훨씬 높다. 그뿐인가. 어느 사업을 막론하고 실패했을 때는 거짓말쟁이, 사기꾼이 되기 십상이다. 내 자본도 사라지고, 감당할 수 없는 부채까지 떠안는 경우가 다반사다. 감옥에 가는 사람도 있고, 부담감과 죄책감 때문에 자살하는 사람도 있다. 그것이 사업이다.

나와 남의 자본과 자원을 투자해서 제품이나 서비스를 연구하고, 개발하고 생산해서 마케팅하고, 유통하고 배송하고 AS하고, 반품과 불만을 처리하고, 세무회계를 처리하는 등등을 하는 것은 절대 쉬운 일이 아니다. 힘들고, 어렵고, 위험한 일이다. 큰 기업에 비해 업무의 양과 빈도는 적지만 1인기업도 기업이라는 것을 명심해야 한다. 경영 프로세스상의 모든 업무는 반드시 처리해야 한다.

반면 네트워크 마케팅은 수많은 경영 프로세스 중 딱 한 가지만 대행하면 된다. 큰 자본을 투자할 필요도 없고, 출근할 필요도 없다. 상사도 없고, 보고서도 없다. 그렇다고 정년이 있는 것도 아니다. 기업의 연구, 개발, 생산, 마케팅, 유통, 배송, 세무, 회계 등의 수많은 경영활동 중 딱 한 가지, '유통'만 대행하면 되는 지극히 단순한 사업이다. 대단한 학력도, 경력도, 지능도 필요 없다. 나이가 많아도 괜찮다. 장애가 있어도 상관없다. 제대로 열심히만 하면 누구나 풍요와 자유를 누릴 수 있는 사업이다.

온전한 내 삶과 내 꿈으로 가는 지름길, N잡 시대 최고의 1인기업 사업모델을 이 책에서 발견하길 빈다. LRHR(Low Risk High Return, 낮은 위험 높은 수익) 사업? 세상에 그런 사업은 없는 줄 알았다. 그런데 있었다. 알고 보니 네트워크 마케팅이 바로 그 LRHR 사업이었다. 함께할 회사, 함께할 동료를 잘 고른 다음, 내가 올바르게 한다면 말이다.

'올바른 네트워크 마케팅은
평범한 사람들의
풍요와 자유의 추월차선이다'

한국 네트워크 마케팅에 새로운 패러다임을 희망하는
드림.독서.집필코치 시우 김하준

차 례

제2장 **10무: 편견이 가리고 있는 기회**

제3장 **5자: 존엄한 인간이 될 수 있는 자유**

제4장 **4권: 상속까지 가능한 풍요**

제5장 **3벽: 기회(풍요와 자유)의 대가**

Epilogue

제 1 장

관점을 바꾸면 기회가 보인다

레터맨: 모든 것을 잃고 처음부터 다시 시작한다면 무엇을 하실 겁니까?

트럼프: 좋은 네트워크 마케팅 회사를 찾아 일할 겁니다.

방청객: 우~~! (야유)

트럼프: 이것이 바로 내가 (억만장자로 성공해서) 여기 앉아 있는 이유이고, 당신들이 거기(방청석)에 앉아 있는 이유입니다.

- 도널드 트럼프 (전 미국 45대 대통령)

(미국 CBS 심야 인기 프로그램 〈데이비드 레터맨 쇼〉 출연 대화 중 일부)

편견의 장벽
올바른 자신
올바른 통로
올바른 회사
자유의 기회
부자의 기회
건강의 기회

01

역사가 낳은 마녀

하루 벌어 하루 먹고 살기도 힘든 나라에서는 네트워크 마케팅이 성장하기 어렵다. 모여서 공부하고, 사람을 만나러 다닐 여유가 없다. 좋은 생필품, 화장품, 영양제를 구입할 여유도 없다. 법규나 제도도 허술해서 사기꾼들이 판친다. 이렇듯 사회경제적으로 준비되지 않은 나라에서는 십중팔구 혼란이 일어난다.

잘 사는 나라에서도 초기에는 마찬가지다. 미국에서도 그랬고, 일본에서도 그랬다. 새로운 사업모델을 규제하고 통제하는 법규나 제도는 항상 현실보다 느리다. 현실에서 상당 기간 문제가 반복적으로 발생한 다음에야 만들어진다. 그전에는 많은 문제와 피해자가 발생할 수밖에 없다.

네트워크 마케팅뿐만 아니라 다른 사업모델도 마찬가지다. 문제와 피해가 수차례 발생한 이후에야 그것을 방지하는 법규나 제도를 만들 수 있기 때문이다. 진통이 발전의 자양분인 셈이다. 출산의 고통 없이 아이를 낳을 수 없는 것처럼 탄생통, 성장통을 겪는 과정에서 다듬어져야 비로소 번듯한 사업모델이 탄생한다. 만일 그 과정에서 사회적 이득보다 손실이 더 큰 것으로 판명되면 자연스럽게 사라지기 마련이다.

우리나라 네트워크 마케팅은 1970년대 후반부터 외국인 및 재외교포들에 의해 시작되었다. 올림픽이 개최되었던 1988년에 암웨이 한국 지사가 설립되었다. 우리나라 네트워크 마케팅에 흑역사를 만든 재팬라이프도 1988년에 한국 지사를 설립했다. 암웨이의 본격적인 사업은 1991년에 시작되었지만 두 회사의 지사가 설립된 1988년을 한국 네트워크 마케팅의 도입 원년이라 해도 무방할 것이다. 참고로, 1988년 우리나라 1인당 국민소득은 약 4,500불이었다. 하루 벌어 하루 먹고살기도 힘든 시기였다.

우리나라 네트워크 마케팅은 재팬라이프로 대표되는 불법 다단계 회사에 의해 흑역사로 시작되었다. 재팬라이프는 1975년에 야마구치 다카요시에 의해 설립된 일본의 불법 다단계 회사다. 야마구치 회장은 일본에서도 40여 년 동안 수차례 감옥을 오간 희대의 사기꾼이다. 2020년 9월 17일에도 아베 신조 전 일본 총리의 국가행사에 초대받은 사람이라며 고령층을 속여 2조 원 이상을 가로챈 혐의로 구속되었다. 이 피해액은 일본에서 유사한 사기 수법으로 역대 두 번째 규모다.

사회경제적으로 여건도 안 되어 있고, 법규나 제도도 준비되지 않은 상태에서 돈에 눈먼 사람들이 불법 다단계를 만나 무법천지를 만들었다. 그들에게는 사람들이 모두 돈으로 보였을 것이다. 멀쩡한 직장인은 물론이고 대학생들까지 직장과 학교를 그만두게 하고, 저질 상품을 고가로 강매해서 가족과 집안을 풍비박산 내는 일이 비일비재했다.

1980년대 대학생과 직장인들 상당수가 지인에 의해 마치 사이비 종교집단 같은 불법 다단계 사업장으로 끌려가서 이상한 제품을 고가로 구매하고, 그것을 구매할 사람을 끌어모으면 떼돈을 벌 수 있다는 유혹을 받아 보았을 것이다. 사회적으로 네트워크 마케팅이 아직 낯설었고, 그것을 통제할 수 있는 법규나 제도가 없었기 때문에 속수무책 당하는 사람들이 많았다.

피해가 계속되자 1993년 급기야 김영삼 대통령이 불법 다단계 단속령을 내렸다. 어림잡아 2천여 개 업체가 수사를 받고, 많은 사람이 감옥에 끌려가는 사태가 발생했다. 심지어 합법적 네트워크 마케팅 회사인 암웨이 한국 지사장도 구속되었을 정도다. 사건 사고를 좋아하는 언론은 마치 물 만난 고기처럼 연일 대서특필을 통해 국민들의 머릿속에 '네트워크 마케팅 = 사기꾼 사업'이라는 강렬한 고정관념을 새겼다. 도입기의 혼란과 피해 때문에 한국에서는 네트워크 마케팅 사업모델이 마녀가 되었다.

하지만 곧바로 극적인 변화가 찾아온다. 단속령이 내려진 바로 그 해(1993년) 12월에 보호 무역주의 철폐를 위한 우루과이라운드 협상이 타결되었기 때문이다. 미국과 일본에서 이미 합법화된 네트워크 마케팅을 막을 수 없는 상황이 된 것이다. 게다가 미국의 경제 대통령이라 불렸던 빌 클린턴 대통령이 암웨이 지사장 구속에 대해 한국의 초대를 거부할 정도로 매우 불쾌한 반응을 보였다. 외국에 진출한 자국 기업 보호를 위해 당연한 반응이었지만 한국 정부에게는 큰 부담이었을 것이다. 네트워크 마케팅을 옹호하는 빌 클린턴 대통령의 격려사가 있었을 정도이니 말이다. 참고로 빌 클린턴은 1993년 1월 20일 취임했다.

이러한 여러 가지 국내외 여건 때문에 우리 정부가 급히 서둘러 1994년 다단계를 국내법에 포함시키면서 합법적 사업이 되었다. 다단계 사업은 불법이라며 연일 대서특필했던 언론은 늘 그렇듯 이번에는 그다지 크게 다루지 않았다. 태생적으로 언론은 좋은 일, 잘된 일에는 그다지 관심이 없기 때문이다. 게다가 시장에는 여전히 법제화 초기의 틈새를 활용한 불법 다단계 업체들이 합법 다단계 업체와 혼재하며 계속해서 문제를 일으키고, 희생자를 만들어내고 있었다.

그런데 미국에서는 왜 대통령까지 나서서 네트워크 마케팅 사업을 격려한 것일까? 국가는 국민들이 스스로 살아가길 원한다. 세금도 덜 낭비되고, 사회적 문제도 비교적 줄어들기 때문이다. 미국은 네트워크 마케팅을 그러한 사회경제적 기능을 수행하는 대표적 사업 모델로 판단했다. 인터넷으로도 검색되는 빌 클린턴 대통령의 격려사 영상에 따르면 당시 미국에는 700만 명 이상이 네트워크 마케팅을 통해 삶을 꾸려가고 있었다. 그중 30만 명 이상은 65세 이상이고,

장애인, 이민자, 전업주부들도 많았다.

미국의 네트워크 마케팅 회사들이 글로벌화할 수 있었던 것은 같은 것을 다르게 보는 관점의 차이에서 비롯된 것이다. 미국의 이러한 관점 차이가 미국 회사들이 오늘날 전 세계 네트워크 마케팅 시장을 장악하는 시발점이 된 것이다. 그리고 그 관점 차이가 이후 수십 년간 전 세계 네트워크 마케팅 시장을 지배하는 나라와 지배당하는 나라로 갈라놓았다. 기회를 기회로 보지 못하는 자(국가)에게는 기회가 있을 리 만무하다.

공정거래위원회 통계에 따르면 지난해 우리나라 네트워크 마케팅 회사들의 매출액이 5조 원을 넘어섰다. 그중 1조 원 이상이 네트워크 마케팅 사업자들에게 수당으로 지급되었다. 사업자들 중에 일반 기업에서는 채용해주지 않는 저학력자, 장애인, 전업주부, 70~80대 노인들도 많았다.

학력, 장애, 신분, 나이가 존엄하게 살아야 할 인간의 권리를 가로막는 장해물이 되어서는 안 된다. 그러나 현실에서는 그것들이 수많은 차별의 원인으로 작용하고 있다. 심지어 생존까지 위협할 정도다.

하지만 네트워크 마케팅에서는 아무런 차별 없이 본인의 노력과 성과에 의해 죽을 때까지 수입을 가져갈 수 있다. 학력이 낮아도 가능하고, 장애가 있어도 상관없다. 나이가 많아도 관계없고, 어떤 신분이어도 가능하다. 본인이 할 의지만 있으면 할 수 있다. 학력 때문에, 장애 때문에, 나이 때문에, 신분 때문에 기회 자체가 박탈되는 일은 없다.

네트워크 마케팅을 '마녀'라고 평가하는 것은 내 생각이 아니라 남의 생각이다. 많은 역사 속에 자신의 가난과 실패의 원인을 내가 아닌 누군가에게 화풀이하고 싶고, 희생양을 골라서라도 울분을 해소하고 싶은 군중에 의해 죄 없는 마녀사냥이 많았다. 지금의 네트워크 마케팅 사업모델이 그러하다.

분명 다른 사업 분야에서도 수많은 사기꾼이 판을 치고, 수많은 희생자가 나오고 있음에도 마치 네트워크 마케팅 사업에서만 사기꾼, 희생자가 넘치는 것으로 생각한다. 모든 사업 분야의 사기꾼에 대한 분노와 희생자에 대한 안타까움을 네트워크 마케팅이라는 마녀를 화형시키면서 해소하려는 사회적 욕망이 가득한 것 같다.

하지만 네트워크 마케팅 사업모델은 마녀가 아니다. 오히려 총판, 도매, 소매를 하는 소수의 중간 유통업자들이 가져가던 막대한 유통마진을 다수의 소비자들에게 분배해주는 착한 사업이다. 바람직하게만 한다면 네트워크 마케팅은 마녀가 아니라 천사다. 똑똑하고 잘난 사람에게만 풍요롭고 자유로운 삶의 기회를 주는 것이 아니라 사회가 조금 부족하다고 평가하는 사람들에게도 그 기회를 공평하고, 공정하게 나눠주기 때문이다.

그리스 신화에 나오는 기회의 신 '카이로스'는 앞머리만 있고, 뒷머리는 없다. 기회가 다가왔을 때 잡지 않으면 지나간 뒤에는 잡을 수 없다는 것을 의미한다. 그런 의미에서 필자는 네트워크 마케팅을 카이로스의 머리에 비유하고 싶다. 여러 가지 장점에도 불구하고 많은 사람들이 네트워크 마케팅을 마녀라며 기피하고 있기 때문에 그들에게는 기회가 보이지 않지만, 네트워크 마케팅의 본질을 제대로 인식한 사람들에게는 아직 기회가 남아 있다고 생각하기 때문이다. 인식은 바뀌기 마련이다. 실제 네트워크 마케팅에 대한 인식도 점차 개선되고 있는 만큼 더 늦기 전에 N잡 시대를 준비하는 최고의 아이템 중 하나로 시도해보길 권한다.

기회로 볼 것인가, 마녀로 볼 것인가는 남들의 시선과 편견이 아니라 나의 시선과 평가에 의해 판단해야 한다. 대중의 인식이 바뀐 다음에는 너도나도 뛰어들어 내 기회는 이미 사라지고 새빨간 전쟁터가 될 것이기 때문이다.

02

경제학의 오판

최근 우연히 전 세계 오프라인 유통의 대명사 월마트의 창업주 샘 월튼(Samuel Moore Walton)의 자녀들이 가진 재산과 온라인 유통의 대명사 아마존의 창업주 제프 베이조스(Jeff Bezos)가 가진 재산에 대해 알게 되었다. 경악했다. 그들은 생각보다 너무 많은 재산을 보유하고 있어 실감이 나지 않을 정도였다. 그래서 대한민국 직장인의 평균 연봉 약 3,800만 원으로 나누어 보았다.

이 원고를 쓰고 있는 시점을 기준으로 월마트 창업주 샘 월튼의 자녀 3명의 재산은 219조이다. 우리나라 직장인 기준 약 580만 명의 연봉이다. 단 세 명의 유통업자가 가진 재산이 우리나라 근로자 580만 명이 1년 동안 힘들게 일해서 벌어들이는 금액과 맞먹는다. 아마존 창업주 제프 베이조스는 한술 더 뜬다. 그가 가진 재산은 240조이다. 우리나라 직장인 기준 약 630만 명의 연봉이다. 단 한 명의 유통업자가 가진 재산이 말이다.

그들의 자산은 하루에도 수십만 명의 연봉에 해당하는 금액이 늘었다 줄었다 한다. 생각해보면 기가 막히는 일이다. 지구 한쪽에서는 먹을 게 없어 굶어 죽는 사람도 많은데 다른 한쪽에서는 한 사람, 한 가족에게 그렇게 많은 재산이 몰려 있는 이 세상이 얼마나 불합리한 세상인지 말이다.

필자는 대학과 대학원에서 경영학을 전공했다. 필수 과목인 경제학은 소비자를 합리적인 존재로 가정하고 시작한다. 그런데 사회생활을 해보니 소비자는 절대 합리적이지 않다. 생산자 역시 태생적으로 합리적일 수 없다. 생산자도, 소비자도 이기심과 질투심, 감정, 욕심, 욕망, 환경 등에 휘둘려 비합리적 의사결정을 밥 먹듯이 한다. 때로는 본능으로 사는 동물과 크게 다르지 않다.

경제학이 합리적인 소비자를 가정하고 시작하는 것도, 다른 변수들은 고정으로 가정한 후 수요와 공급을 연구하는 것도 그러려니 하고 배웠다. 둘 다 말도 안 되는 가정이라고 생각했지만, 워낙 출중한 천재들과 석학들이 만든 학문이 경제학이니 평범한 내가 그것에 대해 왈가왈부할 수 없다고 생각했다.

하지만 경제학에서 중요한 분석 대상으로 삼는 공급자와 소비자가 아니라 유통자들이 저렇게도 많은 재산을 축적하고 있다니. 그 사실을 알게 되었을 때의 분노와 실망, 상대적 박탈감은 제법 컸다. 경제학은 소비자 가격의 20~30%를 가지고 노는 공급자와 소비자를 연구할 것이 아니라, 소비자 가격의 70~80%를 가지고 노는 유통자를 연구해야 하는 것 아닌가?

문득 필자의 부모님이 기르던 배추가 생각났다. 몇 개월간 노심초사하며 심고, 기른 배추를 유통업자들이 찾아와 밭떼기로 사 가곤 했다. 그런데 말이 안 되는 일이 종종 벌어졌다. 수 개월간 피땀 흘려 키운 농부는 포기당 달랑 200원을 받는데 서울에서는 2,000원에 팔리고 있었다. 그럼 90%의 마진은 누가 가져간 것일까? 중간의 유통업자들이 가져간 것이다. 좀 극단적인 비유지만 산지에서는 흔하게 발생하는 일이다. 심지어 팔면 팔수록 손해일 때도 있다. 공급량이 크게 늘어 배추 가격이 급락할 경우 몇 개월간 힘들게 지은 농작물을 울면서 갈아엎는 농부들이 있을 정도니 말이다.

마을 안에서 물물 교환을 하던 원시 경제 시대를 지나 마을 간의 물물 교환을 위해 시장이 형성되고, 멀리 있는 곳과 거래하기 위해 중간상들이 나타났다. 경제 규모가 커지고 복잡해지면서 중간상들이 분화되어 총판, 도매, 소매로 나뉘면서 생산자와 소비자의 불운이 시작되었다. 소비자 가격의 대부분을 유통자들이 장악하게 되었기 때문이다.

유통자들도 총판, 도매, 소매 단계별로 이윤을 얻어야 사업을 계속할 수 있으니 당연한 일 아니냐고 항변할 것이다. 틀린 이야기는 아니다.

그렇게 분화되었던 유통 단계를 일부 통합한 것이 월마트고, 아마존이다. 문제는 천문학적 통합 수입이 생산자, 소비자들보다는 소수의 유통업자 및 유통회사에 돌아가고 있다는 사실이다. 그 증거가 월튼가 자녀들의 재산이고, 제프 베이조스의 재산이다. 더구나 온라인이 전 세계 시장을 하나로 만들어서 온라인 유통 공룡 아마존의 창업주 제프 베이조스 1인의 재산이 오프라인 유통 공룡 월마트의 월튼가 3인의 재산보다 더 많아지게 되었다.

인터넷에 의해 전 세계 시장이 하나의 시장으로 통합될수록 이와 같은 빈익빈 부익부 현상 즉, 특정 개인과 특정 회사에 의한 부의 독점, 천문학적 거부의 탄생은 더더욱 심해질 것이다.

여기에 바로 특별한 대안이 있다. 아니, 유일무이한 대안일지도 모르겠다. 바로 네트워크 마케팅이다. 네트워크 마케팅은 소수의 총판, 도매, 소매 사업자가 부를 독점하는 것이 아니라 다수의 개인이 부를 분배, 공유하는 사업모델이다. 사실 한 사람 또는 한 가족이 240조 원을 어디에다 쓰겠는가? 한 인간, 한 가족이 살아가는 데 필요한 돈과 비교하면 많아도 너무 많은 금액이다. 그럼에도 자본주의의 최대 병폐인 승자독식 시스템에 의해 지구 한쪽에서는 굶어 죽는 사람이 있는가 하면, 다른 한쪽에서는 한 사람이 240조 원을 가지고 있는 것이다. 네트워크 마케팅에 의한 유통에서는 있을 수 없는 일이다.

경제학 덕분에 인류가 부유해졌지만, 한편으로는 경제학 때문에 많은 인류가 상대적 박탈감, 빈곤감, 불행감 속에 살아가고 있다. 부를 창출해주는 것도 경제학이지만 부를 독점화시키는 것도 경제학이다.

일부 범죄자나 게으른 사람을 제외하고 대다수의 사람들은 열심히 살아간다. 그런데 아무리 피땀 흘리며 노력해도 잘나가는 유통업자의 재산에는 발끝에도 미치지 못한다. 극소수의 선진 복지국가에서는 복지 정책을 잘 만들어 부의 지나친 불균형을 재분배해주고 있지만 그야말로 극소수 국가의 이야기다.

그래서 그럭저럭 살 만해도 불행하다고 느끼는 사람들이 많은 것이다. 어떤 사람들은 손에 흙 한 톨 묻히지 않고도 자자손손 매일 먹고, 마시고, 놀며 사는데 나는 매일 꼭두새벽부터 한밤중까지 일과 사람에 치여 전쟁하듯 사는 데도 자식 키우기도 힘들고, 노후 준비도 못 해 늘 가슴이 서늘하니 말이다. 극단적인 비교지만 현실에서는 흔한 일이다.

반면, 네트워크 마케팅은 소수 유통업자들의 천문학적인 부를 평범한 대중들에게 나눠주는 유일무이한 유통 시스템이다. 소수의 총판, 도매, 소매 사업자들이 독식하고 있는 부를 수백만 소비자들에게 분배해주는 유통 혁명이 네트워크 마케팅이다.

월마트 창업주 샘 월튼의 자녀 3명이 가지고 있는 219조의 재산이 580만 명의 열심히 사는 사람들에게 분배되는 시스템, 아마존의 창업주 제프 베이조스 1인이 가지고 있는 240조의 재산이 630만 명의 열심히 사는 사람들에게 분배되는 시스템이 네트워크 마케팅이다.

비단 월마트와 아마존만의 이야기가 아니다. 우리나라에서도 오프라인의 유명 백화점, 온라인의 카카오, 네이버 등이 유통 시장에서 막강한 영향력을 행사하고 있고, 그 기업의 오너들은 우리나라에서 몇 손가락 안에 드는 부호가 되었다. 몇 개 유통기업, 몇 명 유통업자를 부호로 만들어준 그 수익을 다수의 대중에게 돌려주는 착한 유통 모델이 네트워크 마케팅이다.

앨빈 토플러에게 무임승차하기

필자가 아시아나항공 직원들의 온라인 교육 플랫폼인 '아시아나 사이버 캠퍼스'를 구축할 때의 이야기다. 당시 사용자가 직접 개발한 콘텐츠라는 의미의 'UCC(User Created Contents)'라는 단어가 한참 유행하고 있었다. 사이버 캠퍼스 개발계획을 보고할 때 직속 상관이었던 인사담당 임원이 무슨 의미냐고 묻길래 자세히 설명해 드렸다.

그때부터 그 임원은 UCC 전도사가 되었다. 만나는 중역마다 "김 상무, UCC가 뭔지 알아?", "이 상무, UCC가 뭔지 알아?"라고 하며 최신 용어를 알고 있고, 자유롭게 구사하는 자신을 자랑스럽게 드러내곤 했다. 젊은이들이 쓰는 용어를 공부하고, 젊은이들이 부르는 노래를 한두 곡이라도 따라 부르기 위해 안간힘을 쓰는 꼰대들의 모습

속에서도 자주 보이는 장면이다.

'Prosumer'라는 용어도 그렇게 활용되는 대표적인 단어 중 하나다. 사람들은 프리 라이딩(Free-riding, 무임승차)을 좋아한다. 저명한 사람이 한 말을 알고 있다는 것 또는 최신 용어를 알고 있다는 것만으로 자신이 지적이고, 트렌디하게 보인다고 생각한다. 그래서, Prosumer라는 용어가 아무런 검증 없이 네트워크 마케팅 사업자를 의미하는 용어로 자리 잡은 것이다. 이 단어를 구사하는 것만으로도 전 세계적으로 유명한 미래학자 앨빈 토플러를 알고 있다는 것, 그의 저서를 읽었거나 최소한 어느 정도 알고 있는 사람이라는 것을 은연중에 드러내는 것이다.

'Prosumer(프로슈머)'는 우리말로 '생산소비자(生産消費者)'다. 세계적 미래학자 앨빈 토플러가 1980년 출간된 그의 저서 《제3의 물결》(The Third Wave, 1980)에서 언급한 용어다. 이후 수많은 사람들이 인용하면서 세계적 용어가 되었다.

네트워크 마케팅 사업자들도 이 용어를 자주 인용한다. 필자 역시 네트워크 마케팅 관련 책과 강의에서 굉장히 많이 접했다. 네트워크 마케팅 사업자야말로 토플러가 이야기한 'Prosumer(프로슈머)' 즉, 생산소비자의 대표적인 사례라는 것이다.

하지만 틀렸다. 네트워크 마케팅 사업자는 프로슈머 즉, 생산소비자가 아니다. 'Distrisumer(디스트리슈머)' 즉, '유통소비자'이다.

앨빈 토플러는 30페이지 가까이 할애하여 제3의 물결 시대인 정보화 사회에서 생산소비자의 증가와 그로 인한 사회적, 경제적, 심리적 변화를 예견했다. 그가 이야기한 생산소비자는 자신이 소비할 제품이나 서비스를 직접 생산하는 자를 의미한다. 제1의 물결 시대인 농경사회에서 자가 소비를 위해 먹거리 등을 직접 생산했던 농부들처럼 말이다.

제2의 물결 시대의 시작점이라 할 수 있는 산업혁명 이후 한동안은 일과 삶의 균형은 언감생심 꿈도 꾸지 못하고 일에 치여 살던 시대가 있었다. 하지만 경제가 발전하고, 제3의 물결 시대인 정보화 시대가 도래하면서 삶의 여유도 생기고, 개인적 목적과 이유에 의해 자기가 소비할 제품이나 서비스를 직접 생산하는 사람들도 많아지고 있다. 주말농장에서 가족이 먹을 농산물을 직접 생산하는 도시 농부, 알코올 중독을 의료 서비스가 아닌 모임을 통해 스스로 치료하는 알코올 중독자 모임 등을 생각해 보면 쉽게 이해할 수 있을 것이다.

이런 사람들을 세계적으로 저명한 학자가 'Prosumer'라는 멋진 용어로 표현하자 이를 인용함으로써 자기 자신을 지적으로 포장하고 싶거나, 신뢰를 얻고 싶어 하는 사람들이 너나 할 것 없이 언급하고 인용하기 시작함으로써 이 단어가 오용되기 시작했다.

네트워크 마케팅 업계도 예외가 아니다. 많은 네트워크 마케팅 사업자들이 새로운 소비자 또는 사업자를 발굴, 육성하기 위해 저명인사가 가진 신뢰감과 권위를 이용하기 위해 'Prosumer'라는 용어를 검증 없이 가져다 쓰기 시작한 것이다. '네트워크 마케팅 사업자 = Prosumer'라는 정설 아닌 정설이 만들어진 이유다.

하지만 네트워크 마케팅 사업자들의 수입의 원천은 생산자 역할이 아니라 유통자 역할이다. 즉, 유통을 대행한 역할에 대해 대가를 받는 사람들이 네트워크 마케팅 사업자들이다. 적게는 한 달에 몇만 원에서 많게는 수억, 수십억 원의 수당을 가져가는 사람들이 있는데 그것은 생산에 참여하거나 기여한 대가가 아니라 총판, 도매, 소매 사업자들이 하던 유통을 대행해준 대가로 받는 수당이다.

하는 역할도 유통 대행이 대부분이고, 그들이 받는 수입도 유통 대행에 대한 대가인데 그들을 정의할 때 'Prosumer' 즉, Producer(생산자)와 Consumer(소비자)의 합성어로 정의한 것은 논리적으로 모순이다. 'Distrisumer' 즉, Distributor(유통자)와 Consumer(소비자)의 합성어로 정의하는 것이 더 논리적이고 바람직한 표현이다. 우리말로 하면 '유통소비자(流通消費者)'인 것이다.

물론 네트워크 마케팅 사업자들이 생산에 영향을 미치지 않는 것은 아니다. 네트워크 마케팅 회사 입장에서도 자기 회사 상품을 유통하고 소비해주는 네트워크 마케팅 사업자의 의견을 잘 반영해야 상품의 질도 좋아지고, 매출도 올라가고, 회사도 계속 성장할 수 있기 때문에 사업자들의 의견을 적극적으로 경청하고, 반영하기 마련이다.

그럼에도 어떤 현상이나 상황, 사람들에 대해 새로운 이름을 부여할 때는 핵심 역할과 기능에 부합한 용어로 정의해야 한다. 그 핵심 역할과 기능에 대해 금전적 대가까지 받고 있다면 더더욱 그렇다.

그동안 대표적인 'Prosumer'로 표현했던 네트워크 마케팅 사업자들의 핵심 역할과 기능은 유통을 대행해주는 것이다. 그 대가로 수당을 받고 있다. 유통 대행은 안 하고 생산에 대한 의견만 이야기하면 그는 네트워크 마케팅 사업자가 아니다. 생산에 대해 의견도 내놓고, 영향도 주지만 그것은 내가 유통을 대행하는 상품에 대한 당연한 행위이지 대가를 받고 하는 일이 아니다. 소득의 원천은 유통 대행인 것이다. 그래서 네트워크 마케팅 사업자는 'Prosumer'가 아니라 'Distrisumer'다.

개념의 재정의는 다른 생각과 다른 행동의 시발점이다. 과거라고 해서 모두 부정해서도 안 될 일이지만 비판 없이 수용하거나 검증 없이 오용해서도 안 된다. 심지어 과거에는 올바른 정의였다고 하더라도 시대와 상황이 바뀌면 개념도 바뀌고 정의도 바뀔 수 있다. 과거에 세계적으로 인정받았던 개념이라고 해서, 혹은 과거에 세계적으로 인정받았던 석학이 했던 말이라고 해서 무분별하게 사용하는 것은 자신뿐만 아니라 많은 사람들의 생각과 행동을 엉뚱할 길로 빠트리게 하는 위험하고 부적절한 행위다.

시대와 상황이 바뀌었기 때문에 과거의 진실 또는 과거의 명언이 현재의 시대 및 상황에도 맞는 것인지 검토해보는 습관이 필수다. 책에 쓰여 있다고 해서, 유명한 사람이 한 이야기라고 해서 모두 진실은 아니다. 현재 시대와 상황에 맞게 재검증하고, 재정의하는 습관이 나와 내 주변의 소중한 사람들의 생각과 행동을 현재 시대와 상황에 맞게 전환시키는 시발점이다.

04

네트워크 마케팅도 사업이다

인간의 본성도 다른 동물과 마찬가지로 게으르고, 이기적이다. 다만 인간은 그 어떤 동물보다 긴 교육 시간을 통해 인간으로서의 태도와 습관을 이식시키기 때문에 동물적 본성을 뛰어넘는 존재가 된 것이다. 만일 인간으로서의 교육에 실패했다면 다른 동물과 크게 다르지 않은 원시 유인원 상태로, 먹이를 찾아 산기슭을 어슬렁거리고 있을 것이다. 조용필이 노래했던 킬리만자로를 어슬렁거리는 표범처럼 말이다.

본성은 사라지지 않는다. 자제하거나 통제될 뿐이다. 인정받고 싶어서, 존중받고 싶어서, 왕따가 되고 싶지 않아서, 감옥에 가는 것이 두려워서 등 수많은 이유와 두려움 때문에 스스로 자제하기도 하고, 걱정해주는 가족이나 친구, 스승, 상사 등에 의해 통제되기도 한다.

자제하거나 통제될 필요가 없는 상태 즉, 무인도에 혼자 있는 것처럼 의식해야 할 사람이 없는 상태, 또는 내 생각과 행동을 징벌할 법규나 제도가 없는 상태, 또는 생존에 위협이 없는 상태 등이 되면 생존과 안전을 위해 감추거나 자제하고 있던 본성이 드러나기 시작한다.

프로이트의 정신분석학, 아들러의 개인심리학과 함께 세계 3대 심리치료법 중 하나인 로고테라피(logotherapy, 의미치료, 의미를 통한 치료)의 창시자이자 《죽음의 수용소에서》(Man's Search for Meaning, 1946)의 저자인 유대인 심리학자 빅터 프랭클(Viktor Frankl)이 죽음의 수용소에서 목격한 짐승이 된 인간들처럼 말이다. 그 역시 부인을 포함한 대부분의 가족이 독가스실로 사라진 유대인 수용소에서 대다수가 자기 생존을 위해 원시 본능 상태로 돌아가는 것을 수없이 목격했다. 극한의 위험 상황에 놓이면 인간 역시 살아남기 위해 다른 사람의 생명, 안전, 건강, 행복, 성공 따위는 전혀 중요하지 않거나 이용의 대상으로 삼는 짐승이 되었다.

생존을 위한 경쟁이 치열한 상황에서는 본성이 드러날 때가 자주 있다. 이기적 탐욕과 생존을 위해 다른 사람의 안전, 건강, 기회, 행복, 성공을 이용하고 빼앗는 사람들도 있다. 특히 네트워크 마케팅 분야에 그런 사람들이 많은 편이다. 법규와 제도가 정비되지 않았던 초기 네트워크 마케팅 시장에서는 더더욱 그런 사람이 많았고, 법규와 제도가 정비된 지금도 법의 허점을 이용해 혹은 감옥에 가더라도 일확천금을 위해 네트워크 마케팅을 나쁘게 이용하는 사람들이 있다.

그런 사람들이 주로 하는 말이 '네트워크 마케팅은 식은 죽 먹기다'라거나, '네트워크 마케팅으로 금방 떼돈을 벌 수 있다'라는 말이다. 정직하게 땀을 흘려서 돈을 벌려는 생각보다는 일확천금을 노리며 기회만 찾아다니다가 불법 네트워크 마케팅에서 그 탐욕의 기회를 발견한 사람들이다. 그런 사람들에 의해 네트워크 마케팅이 투기 아니면 로또가 된 것이다.

회사를 차리거나 가게를 차리면 보통 2~3년간은 돈 벌 생각을 하지 않는다. 심지어 하루 10시간 이상 일에 매달리고, 주말까지 반납하며 일에 집중해도 살아남을 수 있을지 걱정스럽다. 대다수가 그것을 당연한 것으로 받아들인다. 본인이 직접 회사를 차리거나 가게를 차린 사람이 아니더라도 사업이나 장사는 결코 쉬운 일이 아니고, 죽어라 일을 해도 성공보다는 실패 확률이 훨씬 높다는 사실을 누구나 잘 알고 있다.

게다가 회사를 차리거나 가게를 차리면 막대한 자본도 투자해야 한다. 적게는 수천만 원에서, 많게는 수억, 수십억을 투자하는 경우도 있다. 가게는 덜하지만 회사를 차리면 사장은 직원들보다 일은 더 많이 하면서도 돈은 한 푼도 못 가져가는 경우가 비일비재하다. 심지어 돈을 가져가기는커녕 계속 쏟아부어야 하는 경우도 많다. 그래서 사업을 시작한 지 수년이 되었는데도 직원 월급날이 지옥날 같다고 하소연하며 월급 줄 돈을 빌리러 밤낮없이 헤매는 사장들이 많다.

그런데 네트워크 마케팅을 하는 사람들은 참 이상하다. 네트워크 마케팅도 분명 내가 잘 먹고, 잘 살기 위해 하는 '사업'인데 횡재가 일어나지 않는다고 실망하고, 투정하는 사람들이 많다. 자기 자본이라고 해야 기껏해야 밥값, 찻값, 교통비 정도나 투자하고, 네트워크 마케팅 사업을 위해 일하는 시간도 기껏해야 하루에 두세 시간도 투자하지 않으면서 월 천, 월 억을 꿈꾼다. 도둑 심보다. 사기 심보다.

마치 네트워크 마케팅은 당연히 그래야 하는 것으로 생각하는 것 같다. 사회적 편견이 극심한 일인데도 내가 선택했으니 많은 노력을 하지 않아도 당연히 그런 대가가 주어져야 한다고 생각하는 것이다. 좋은 평판과 명예를 포기했으니 그 대가로 로또처럼 일확천금을 달라고 투정하는 것일까? 도대체 누구에게 하는 투정일까?

네트워크 마케팅은 로또가 아니다. 투기도 아니다. 말 그대로 '사업'이다. 네트워크 마케팅 사업은 '열려라, 참깨!'라고 외치기만 하면 보물 창고가 열리는 로또나 투기가 아니다. 기껏해야 일주일에 몇 시간 일하면서 월 수백만, 수천만, 수억의 수입을 기대하는 것 자체가 어불성설이다. 만일 그게 사실이라면 이처럼 불안하고 힘든 세상에서 네트워크 마케팅을 하지 않을 사람이 어디 있겠는가. 아마 온 나라 국민, 전 세계 사람들이 온통 네트워크 마케팅 사업을 하겠다고 난리법석일 것이다.

회사를 다니거나 장사를 한다고 가정해보자. 출퇴근에 필요한 두 시간과 업무시간 여덟 시간 이상을 오롯이 회사나 장사에 쏟아붓는다. 그렇게 쏟아붓고도 성공을 장담할 수 없다. 그런데 유독 네트워크 마케팅 사업에서는 하루에 두세 시간, 일주일에 하루 이틀 일하고도 '쉽지 않네', '생각보다 수입이 안 되네' 하며 실망하고 포기하는 사람들이 많다.

회사에서 일하는 것처럼, 가게에서 장사하는 것처럼 네트워크 마케팅 사업에 시간과 정성을 쏟아보자. '네트워크 마케팅도 사업이다!'라는 사실을 명심하고, 수억 원의 내 자본을 투자한 사업처럼 하루 열 시간 이상, 월화수목금금금을 2~3년만 투자한다면 누구나 성공할 수 있다. 그것도 그 여느 사업, 그 여느 장사 못지않은 수익률과 자유를 만끽하면서 말이다.

검증된 네트워크 마케팅 회사와 좋은 동업자를 선택한 다음 진짜 사업을 대하는 자세로 내가 임한다면 월 천, 월 억을 실현할 수 있는 사업이 네트워크 마케팅 사업이다. 학력도, 성별도, 나이도, 신분도, 지역도, 외모도, 아무것도 따지지 않는다. 오로지 노력과 성과만 따진다. 이상한 일을 하라고 시키지도 않고, 아부나 정치를 할 필요도 없다. 내 업무와 무관한 잡무에 시달릴 일도 없고, 출퇴근을 해야 하는 것도 아니다. 사이코 같은 상사와 몇 년 동안 같은 공간에 머물러 있을 필요도 없다.

내 시간과 자원과 고민을 오롯이 내 돈을 버는 일, 내가 성공하는 일에만 100% 투자하면 된다. 진짜 내 사업, 내 장사를 하는 것처럼 말이다. 출퇴근 시간과 업무시간만큼 시간을 네트워크 마케팅 사업을 키우는 데 집중한다면 분명 크고 지속적인 수입을 창출할 수 있다. 풍요롭고 자유로운 부자가 될 수 있다. 그 첫발이 네트워크 마케팅 사업을 '투기'나 '로또'가 아니라 '사업'으로 관점을 변화시키는 것이다.

앞에서도 이야기한 바와 같이 네트워크 마케팅의 3대 실패 원인은 회사 선택 실패, 동료 선택 실패, 자기 선택 실패다. 여기서 자기 선택이라는 것은, 네트워크 마케팅을 로또로 보느냐, 투기로 보느냐, 사업으로 보느냐를 선택하는 것을 의미한다. 내가 무엇으로 보느냐에 따라 즉, 내 관점에 따라 내 생각이 바뀌고, 내 생각이 바뀌면 내 행동이 바뀌고, 내 행동이 바뀌면 내 운명이 바뀐다. 만일 네트워크 마케팅을 하기로 마음먹었다면 가장 먼저 해야 할 일은 네트워크 마케팅에 대한 내 관점을 바꾸는 것이다.

'네트워크 마케팅은 로또나 투기가 아니라 사업이다!'

05

가짜 지식인 진짜 지식인

지인이 신문 칼럼을 보내준 적이 있다. '아는 건 적고 신념만 강한 바보들이 만드는 지옥'이라는 제목의 칼럼이었다. 제목만 보고도 무릎을 쳤다. 현대사회, 특히 우리나라 현실을 콕 집어 말하는 것 같았다. 칼럼 제목이 한동안 뇌리를 떠나지 않았다.

'바보 신념꾼'들은 매사를 흑백으로 가른다. 그들에게는 모든 사람이 아군 아니면 적군뿐이다. 무슨 문제만 생기면 자기 탓은 하지 않고 외부에서 적을 찾아 마녀사냥에 나선다. 자신의 불행이나 가난의 원인을 자신의 무능이나 게으름 때문이라 생각하지 않는다. 남 탓(부모 탓, 학교 탓, 회사 탓, 사회 탓, 세상 탓)만 하다가 포퓰리즘 정치가의 부귀영화를 위한 도구로 이용되곤 한다.

예능 대부 이경규 씨가 예능프로그램에서 한 말 중에 '잘 모르고 무식한 사람이 신념을 가지면 무섭습니다'라고 말한 적이 있다. 위에서 이야기한 칼럼의 제목과 같은 의미다.

무식한 사람에게 신념이 생기면 무섭다. 그릇된 신념을 기준으로 다른 사람들을 아군 아니면 적군으로 양단한 다음, 마치 전쟁터에서 적군을 만난 것처럼 후자를 비난하고, 공격하고, 심지어는 폭력까지 불사하기 때문이다.

'천 길 물속은 알아도 한 길 사람 속은 모른다'라는 말처럼 타인의 속셈을 알아차리기는 쉽지 않은 일이다. 알아차리기 어려운 사람의 마음속에 무식한 신념이 자리 잡으면 그 사람은 세상에서 가장 무섭고 위험한 동물이 된다. 지하철에서, 도로에서, 유튜브에서, TV에서 바보 신념꾼들의 광기를 수시로 목격하고 있듯이 말이다.

그러므로 우리는 다른 사람과 세상을 평가하고, 비난하고, 공격하는 기준으로 작동하는 나의 신념이 혹시 편견에서 비롯된 것은 아닐까? 수시로 돌이켜봐야 한다. 더하여 지식과 경험의 부족에서 비롯된 것은 아닐까? 나의 이기심과 탐욕에서 비롯된 것은 아닐까? 세상에 대한 원망에서 비롯된 것은 아닐까? 누군가에 대한 서운함과 서러움을 엉뚱한 사람들에게 투사하고 있는 것은 아닐까? 하며 말이다.

세상과 사람들을 공격하는 나의 신념이 합리적인지, 공정한지를 따져보지 않고 광기를 부린다면 아무리 학력이 높고, 지위가 높을지라도 그는 지식인도 아니고, 만물의 영장도 아니다. 광기로 날뛰는 짐승과 별반 다르지 않다.

그런 사람이 많으면 많을수록 가정도, 학교도, 회사도, 사회도 지옥이 되어간다. 나만 광기를 부릴 수 있는 것이 아니고, 상대도 광기를 부릴 수 있기 때문이다. 특히 광기는 쉽게 전염되고, 뭉치기 쉽다. 자칫 집단광기로 발전해서 내가 사는 동네, 내가 다니는 회사, 내가 속한 사회를 지옥으로 만들 수 있다.

인간이 지식을 쌓고, 윤리를 배우는 이유는 공동체의 구성원이 저마다 이기심과 탐욕을 가진 본능적 인간으로 살면 인간사회 역시 짐승사회와 다를 바가 없어지기 때문이다. '지식인이다', '만물의 영장이다'라고 할 수 있는 인간은 자신의 내면에 이기심, 탐욕, 원망이 생길지라도 본능적이고 동물적인 광기가 아니라 합리적인 타협점을 찾으려고 노력하는 인간에 한해서다. 배움의 양이 중요한 것이 아니라 세상과 사람들에 대한 태도와 자세가 중요하다는 이야기다.

네트워크 마케팅에 대한 '바보 신념꾼'은 크게 세 가지 유형이다.

첫째는, 네트워크 마케팅을 경험해보았지만 자기가 선택을 잘못해서 실패한 사람들이다. 잘못된 회사, 잘못된 아이템, 잘못된 사람을 선택하면 실패는 당연한 결과다. 이 세 가지는 내 노력으로 극복할 수 있는 항목이 아니기 때문이다. 회사는 바르고 안정적인 회사인지, 아이템은 전망이 좋은 아이템인지, 함께할 사람은 성품, 성격, 역량 삼박자를 겸비한 사람인지 등을 심사숙고해서 선택하지 않고 남의 말만 믿고 덜컥 시작하면 십중팔구 실패한다. 이런 경우 본인의 선택이 잘못되어 실패한 것인데도 네트워크 마케팅 자체가 나쁜 것이라는 신념을 굳힌 사람들이 많다.

둘째는, 네트워크 마케팅 사업을 진짜 내 자본을 투자한 사업처럼 생각하지 않고 요행을 바라며 대충하다가 실패를 경험한 사람들이다. 직장생활을 하든, 사업을 하든, 장사를 하든 보통 하루에 여덟 시간 이상은 일에 매달려야 한다. 때로는 야근도 해야 하고, 주말에도 일을 해야 하는 경우도 많다. 그런데 이상하게 네트워크 마케팅 사업은 하루에 한두 시간도 제대로 일을 하지 않으면서 직장생활보다 더 많은 수입을 기대하는 사람들이 많다. 본인이 네트워크 마케팅을 사업으로 대하지 않아서, 직장에서 일을 하듯 열심히 하지 않아서 실패한 것인데 네트워크 마케팅은 원래 돈이 안 되는 사업이라는 신념을 굳힌 사람들이 많다.

셋째는, 네트워크 마케팅 사업을 학습해본 적도 없고, 경험해본 적도 없으면서 보고, 들은 서당개 풍월만으로 평가하고 비난하는 사람들이다. 일정 기간 반복해서 직접 학습하고, 경험해보지 않고는 그 일을 깊이 있게 이해할 수 없다. 일반 회사에서도 자기가 맡은 업무를 이해하고, 평가할 수 있는 수준이 되려면 적어도 1~2년은 끊임없이 학습하고, 경험해봐야 한다. 그것도 매일 여덟 시간 이상 매달리면서 말이다. 내 가족이 피해를 봐서, 내 친구가 망해서 네트워크 마케팅 사업이 나쁜 것이 아니다. 그들이 회사, 아이템, 사람을 잘못 선택해서 실패했거나, 그들 본인이 네트워크 마케팅 사업을 사업으로 생각하지 않고 요행을 바라며 대충해서 실패했을 확률이 훨씬 높다.

사업이란 원래 성공보다 실패 확률이 높다. 그래서 '잘될 거야, 도전해봐!'라고 했다가 나중에 원망을 듣게 될 확률보다 '그건 안 되는 사업이야, 절대 하지 마!'라고 말려서 감사 인사를 듣게 될 확률이 더 높다.

게다가 인간은 자기 일에도 게으르지만 남의 일에는 더 게으르다. 그런데 잘 모르는 일에도 알은체는 하고 싶어 한다. 경험해본 적도 없고, 학습해본 적도 없고, 시간을 내서 조사하고 연구해볼 마음도 없고, 여유도 없으면서도 아는 척은 하고 싶은 것이 인간의 마음이다.

그렇기에 내 주변에 누군가 새로운 일을 시작할 때 그 일이 내 지인에게 진짜 맞는 일인지, 성공할 수 있는 일인지 조사하고 고민할 필요 없이 그냥 말리는 것이 최선이라고 생각한다. 연구 조사를 하는 내 시간도 줄일 수 있고, 확률적으로 더 높은 실패를 조언했을 때 내가 원망을 들을 확률이 줄어들기 때문이다. 지인의 성공 여부는 그다음 문제다. 자기는 경험한 적도 없고, 잘 알지도 못하면서 그냥 마녀사냥하듯 네트워크 마케팅 사업은 그 사업 자체가 마녀라고 평가해 버리는 사람들이 많은 이유다. 진짜 지식인이라면 이런 태도에서 벗어나야 한다.

월마트, 아마존 등 온·오프라인 유통 공룡을 만든 몇 사람이 수백조 원의 재산을 독식하고 있다. 이처럼 소수 유통자들이 독식하는 부를 일반 대중에게 재분배해주는 네트워크 마케팅이 세상에 나온 지 70년이 넘었다. 전 세계에서 수천만 명이 이 사업으로 생계를 유지하고, 풍요와 자유를 획득하고 있다.

그것도 좋은 기업에서는 채용해주지 않는 저학력자, 노인, 장애인, 전업주부들도 서로 가르쳐주고, 공부하고, 격려하고, 칭찬해주면서 열정적으로 임하는 사업이 네트워크 마케팅이다. 장애가 있다, 사회적 기준에 못 미친다며 일할 기회도 주지 않으면서 그들이 스스로 자신과 가족의 생계와 생존을 책임지기 위해 열심히 노력하고 있는 일을 섣부르게 평가절하하는 것은 나쁘고 무책임한 짓이다.

이제는 지식인들이 나서야 한다. 네트워크 마케팅에 문제가 있다면 그 문제를 바로잡으면 된다. 아울러, 바르게 사업하는 사람들은 제대로 된 보상을 받고, 안전하게 사업을 할 수 있도록 관련 법규와 제도를 개선해야 한다. 그 책임은 지식인들에게 있다.

많은 피해자가 양산되고 있다며 멀찍이 서서 마녀 화형식을 즐기는 무책임한 가짜 지식인이 아니라 가까이 가서 진짜 문제가 뭐고, 어떻게 하면 개선할 수 있는지 체험해보고, 학습해본 후 개선책을 만들어가는 사람이 진짜 지식인이다.

직접 경험해본 적도 없고, 공부해본 적도 없으면서, 주변에서 주워들은 서당개 풍월로 다른 사람의 삶과 꿈이 걸린 직업을 함부로 평가하고, 비난해서는 안 된다. 나에게 풍월을 읊었던 대부분의 서당개들처럼 말이다. 옆집 개가 짖는다고 영문도 모르면서 따라서 짖어대는 시골 동네 개들처럼 말이다.

그들은 모두 가짜 지식인들이다. 잘 알지도 못하면서 다른 사람과 다른 사람의 일을 쉽게 평가하고, 지적하고, 비난하고, 폄하하는 사람 말이다.

학력이 높고, 지위가 높다고 진짜 지식인이 아니다. 인간이 제아무리 많이 배워도 세상과 우주의 지식과 정보의 양에 비하면 모래사장의 바늘 크기만큼도 안되는 것을 배울 뿐이다. 한 인간으로서 내가 알고 있는 지식과 정보가 그 정도밖에 안 된다는 것을 알고, 인정하고, 조심하는 것이 진짜 지식인이다.

아는 건 적으면서 신념이 강한 서당개 즉, 가짜 지식인이 많으면 그곳이 바로 지옥이다. 부디 이 글의 독자들은 서당개 같은 가짜 지식인이 되어 그런 지옥을 만들지 않기를, 그리고 그처럼 서당개가 들끓는 지옥에 머물러 있지 않기를 바란다. 잘 둘러보면 세상은 넓고 좋은 사람(진짜 지식인)도 많기 때문이다.

Netsuccess Tip 1

합법적 회사인지 불법적 회사인지 확인할 것

네트워크(다단계) 마케팅 회사의 법적 근거는 '방문판매 등에 관한 법률'이다. 신고제가 아니라 등록제다. 네트워크(다단계) 마케팅의 특성상 소비자 피해를 양산할 수 있기에 법과 제도에 의한 관리 및 통제를 위해 신고제가 아닌 등록제를 실시하고 있다.

이처럼 국가에서는 사업상의 피해 방지를 위해 법률에 근거한 등록제를 실시하고 있고, 법률에 의거 등록한 합법적 네트워크(다단계) 마케팅 회사를 국가기관인 공정거래위원회 홈페이지에 게시하고 있으나 사업을 시작하는 사람들은 이 기본적인 조회 및 조사도 해보지 않은 경우가 많다. 안전하고 장기적인 사업을 위해서는 반드시 확인해봐야 한다.

◆ **법적 등록을 위한 서류** (방문판매 등에 관한 법률 제13조 ①항)

1. 상호, 주소, 전화번호 및 전자우편주소 등을 적은 신청서
2. 자본금 3억 원 이상으로, 대통령령으로 정하는 규모 이상임을 증명하는 서류 (본 법률에서는 '3억 원 이상'으로 규정하고 있으나, 대통령령에서는 '5억 원 이상'으로 규정하고 있기 때문에 실질적으로는 5억 원 이상의 자본금 필요)
3. 제37조에 따른 소비자 피해보상보험 계약 등의 체결 증명서류
4. 후원수당의 산정 및 지급 기준에 관한 서류
5. 재고관리, 후원수당 지급 등 판매의 방법에 관한 사항을 적은 서류
6. 다단계 판매자의 신원을 확인하기 위하여 필요한 사항으로써 총리령으로 정하는 서류

◆ **법률에 의해 등록된 합법적 네트워크(다단계) 마케팅 회사 조회 (공정거래위원회 홈페이지)**

- www.ftc.go.kr/www/bizMLMList.do?key=4795®_date=2022

* 휴대폰으로 찍으시면 위 주소로 연결됩니다.

제2장

10무: 편견이 가리고 있는 기회

직접판매는 여러분들에게 새로운 기회를 제공해주며,
여러분들은 직접판매를 통해 새로운 공동체를 만들어가고 있습니다.
직업과 인종, 신념을 초월해서 모두 직접판매 네트워크 마케팅의 기회를 잡으려 하고 있습니다. 그중에 30만 명 이상이 65세가 넘는 노인입니다.
각종 장애인도 50만 명이 넘습니다. 또한 4분의 3은 여성입니다.
이들은 모두 가족을 부양하고 자녀를 양육하면서도
역경을 헤치면서 전진하고 있는 것입니다.
미국 경제 회생의 주역인 여러분들을 자랑스럽게 생각합니다.

- 빌 클린턴 (전 미국 42대 대통령)
(네트워크 마케팅 격려사 중 일부)

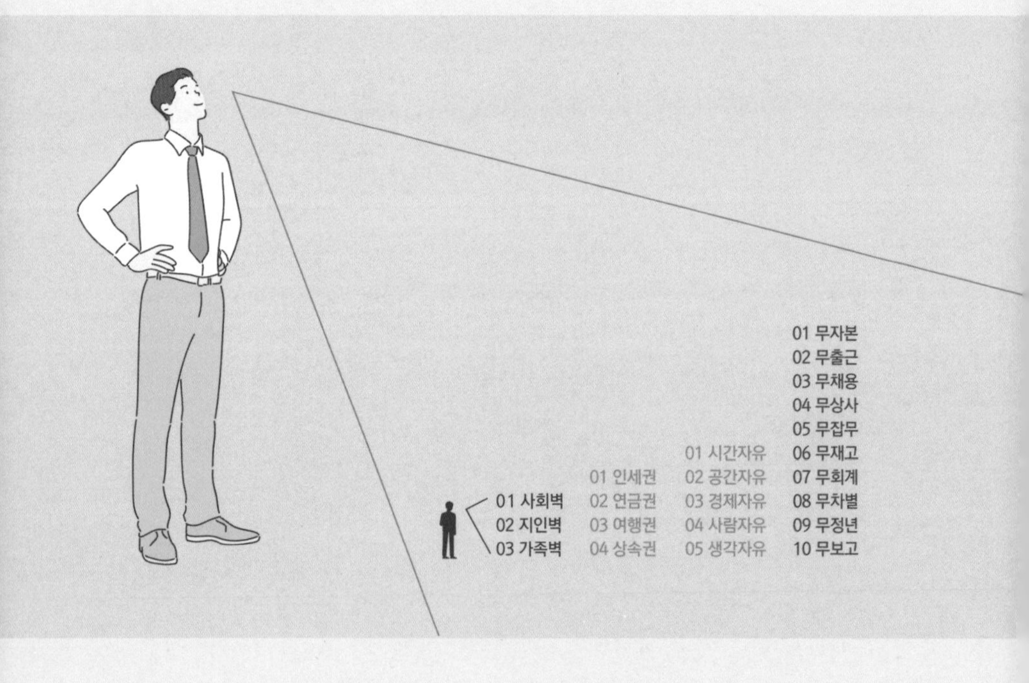
01 사회벽
02 지인벽
03 가족벽
01 인세권
02 연금권
03 여행권
04 상속권
01 시간자유
02 공간자유
03 경제자유
04 사람자유
05 생각자유
01 무자본
02 무출근
03 무채용
04 무상사
05 무잡무
06 무재고
07 무회계
08 무차별
09 무정년
10 무보고

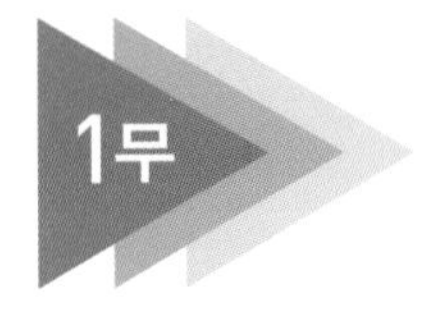

무자본: 자본이 필요치 않은

필자가 사는 동네에 있는 한 점포는 사람들이 제법 오가는 길목에 있다. 어느 날, 운동하러 가는 길에 보았더니 점포가 비어 있었다. 불과 며칠 전까지는 복권 판매점이었고, 몇 달 전에는 휴대전화 대리점이었던 곳이었다. 그보다 몇 달 전에는 네일숍이었다. 임대가 잘 나가는 걸 보면 분명 좋은 위치인데 아이템이 수시로 바뀐다.

동네 이 골목, 저 골목에 짧게는 몇 달, 길게는 1~2년을 주기로 아이템이 수시로 바뀌는 점포가 수두룩하다. 적게는 수천, 많게는 수억을 투자해서 오픈했는데 불과 1~2년, 심지어 몇 달 만에 망하는 것이다. 오픈을 위해 인테리어 중인 가게를 보면 주인장의 설렘이 느껴지지만 불과 몇 달 만에 어지럽게 널린 집기와 수북이 쌓인 먼지를 볼 때면 섬뜩한 삶의 무게가 느껴진다. 치열한 삶의 현장 대한민국의 현실이다.

점포를 임대해서 장사를 하려면 창업자금뿐만 아니라 운영자금도 만만치 않다. 게다가 피땀 흘려 벌어들인 수익의 상당 부분은 조물주 위 건물주에게 상납하고, 인건비, 운영비, 재료비까지 제하고 나면 별로 남는 게 없다. 자본을 잔뜩 투자하고, 피땀 흘려 일하고도 월급 한 푼 못 가져가는 사장들을 많이 봤다. 월급은 고사하고 적자를 메꾸기 바쁜 사장도 많다.

이유는 단기간에 순익을 내기가 쉽지 않기 때문이다. 수입보다 비용이 더 많이 깨지는 날이 짧게는 몇 달, 길게는 몇 년간 지속될 수도 있다. 그리되면 가게 주인은 자본을 계속 쏟아부어야 한다. 업종이 자꾸 바뀌는 가게 중 십중팔구는 이 운영자금을 감당하지 못해서다. 적자 기간이 길어지면 돈을 끌어오는 데도 한계가 있고, 그럼에도 계속 투자하다가는 미래 위험이 무한대로 커지기 때문이다.

아주 치밀한 사람 혹은 과거에 큰 실패를 경험해본 사람이 아니면 대부분 장밋빛 설렘으로 장사를 시작한다. 그래서 창업자금은 어떻게든 준비하지만 운영자금은 '잘되겠지!'라는 섣부른 예감으로 대충 준비하는 경우가 많다. 그래서 대부분 운영자금을 감당하지 못해 문을 닫게 되는 것이다.

좋은 입지를 골라 창업 초기부터 순익을 낼 수도 있지만 창업자금이 천정부지다. 좋지 않은 입지를 선택하면 창업자금은 줄일 수 있지만 장사가 궤도에 올라가는데 많은 시간이 소요되어 운영자금이 증가한다. 이래저래 위험하고 어렵기는 매한가지다.

그럼 기업을 창업하면 어떨까? 역시 만만치 않다. 창업자금, 운영자금 등 자본이 들어가는 것은 장사와 마찬가지인데 또 다른 위험이 있다. 기업을 하면 장사보다 투자 결과 즉, 수입이 발생하는 데까지 시간이 더 많이 소요된다. 장사는 시작하는 날부터 수입이 발생하는 반면, 기업은 그렇지 않다. 상품을 개발하는 시간도 많이 들고, 상품을 시장에 내놓기 위해 준비하는 시간도 많이 소요된다. 광고, 홍보, 마케팅을 준비하는 데도 많은 시간이 필요하다. 이러한 과정을 제대로 밟은 다음에야 수입을 기대할 수 있다.

그것도 장사처럼 단기간에 수입이 확 늘어날 확률은 거의 없다. 대부분 아주 천천히 늘어난다. 장사와 비교했을 때 판매 유통을 준비하는 시간도 많이 들고, 순익을 내는 매출액까지 도달하는 데도 시간이 오래 걸린다.

기업인에게 있어 시간은 곧 돈이다. 판매 유통 준비 기간, 순익을 내는 매출액까지 도달하는 기간이 길어지면 길어질수록 임대료, 인건비, 복리후생비, 마케팅비 등의 운영자금을 계속 조달해야 하기 때문이다.

이처럼 기업을 운영하면 장사를 하는 것보다 시간 리스크가 크다. 시간 리스크가 크다는 것은 버티고 유지하는 시간만큼 비용이 계속 증가한다는 의미다. '사업의 생명은 자금이다'라고 해도 과언이 아닐 만큼 중소기업 사장들이 자금 조달에 혈안이 되어 있는 이유다. 그래서 시도 때도 없이 엔젤투자자, 금융기관, 정책자금을 찾아 헤매는 중소기업 사장들이 많다. 사장이 감옥에 가는 것도, 심지어 자살을 하는 것도 결국은 자금 때문인 경우가 많다.

반면 네트워크 마케팅 사업에는 자본이 필요 없다. 유통을 제외한 경영 프로세스상의 모든 일은 네트워크 마케팅 회사가 담당하기 때문이다. 회사 창업 및 운영, 상품개발, 주문처리 및 배송, 반품처리, A/S, 세무회계 등은 모두 네트워크 마케팅 회사가 담당하고 네트워크 마케팅 사업자는 회원만 발굴하면 된다.

그래서 네트워크 마케팅 사업자에게는 회사 창업 및 운영을 위한 제반비용이 발생하지 않는다. 집, 카페 등 편한 장소에서 미팅 또는 교육을 통해 소비자를 발굴하는 일만 반복하기 때문에 별도의 공간도 필요 없다. 공간이 필요 없기 때문에 사무실이나 가게 임대비, 사무가구 및 집기, 판매장비 및 도구 등의 비용도 발생하지 않는다.

혼자 하는 일이기 때문에 직원도 필요 없다. 직원을 뽑아 급여를 주고, 상여를 주고, 복지비를 지출하고, 4대 보험료와 퇴직금을 준비하는 등등의 비용이 전혀 발생하지 않는다. 연령과 세대가 다른 직원을 부리기 위해 감수해야 하는 정신적, 심리적 고통도 없다. 적게는 수천만 원에서 많게는 수억 원을 투자할 수 없다면 네트워크 마케팅이 좋은 대안 중 하나다.

중소벤처기업부와 국회예산정책처 통계에 따르면 국내 기업의 창업 5년 후 생존율이 27.5%라고 한다. 그마저도 성공률이 아니고 생존율이 그렇다는 이야기다. 창업 10년 후 생존율은 10%도 안 된다는 말이 공공연하게 회자되는 이유다. 성공률은 1~2%쯤 될 것이다.

많은 자본을 투자하고, 피땀 흘려 고생해도 80~90%가 망한다는 장사나 기업보다는 네트워크 마케팅이 자본 상실 위험도 적고, 고생할 확률도 낮으면서, 성공 가능성은 높은 사업이다. 다만 네트워크 마케팅을 로또나 알바처럼 생각하고 대충하는 것이 아니라 진짜 내 자본을 투자한 사업처럼 진심과 정성을 다해서 한다면 말이다.

치열한 대기업 생활, 위험한 창업자 생활을 하다 네트워크 마케팅 시장에 들어와 보니 네트워크 마케팅을 마치 로또나 아르바이트처럼 생각하는 사람들이 많았다. 하루에 1~2시간도 제대로 투자하지 않으면서 큰 성공을 기대하고, 실패를 남 탓하거나 사업모델 탓하는 사람들이 많았다. 심지어 오랫동안 네트워크 마케팅을 해 온 사람들 중에서도 사업자를 끌어들이기 위해 네트워크 마케팅을 로또처럼 쉽게 떼돈을 벌 수 있는 사업으로 거짓 포장하는 사람들이 많았다. 네트워크 마케팅에 대한 사람들의 편견을 조장하는 원흉들이다.

세상에 공짜는 없다. 네트워크 마케팅도 사업이다. 심지어 나와 내 가족의 삶과 꿈을 송두리째 바꿔놓을 수도 있는 영향력 있는 사업이다. 그렇다면 그에 맞는 태도와 자세가 필수다. 취업해서 회사에 출근하면 하루에 여덟 시간 이상을 꼬박 일해야 한다. 창업해서 회사를 경영하면 하루 여덟 시간으로도 부족하다. 거의 하루 종일 심지어 '월화수목금금금'을 외치며 밤낮도 없이, 휴일도 없이 일하는 창업자도 부지기수다.

반면 네트워크 마케팅은 출퇴근, 잡무 등이 없기 때문에 오로지 네트워크 마케팅 관련 일에만 하루에 3~4시간을 투자해도 충분하다. 그마저도 안 하면서 성공을 기대하고, 실패를 남 탓, 사업모델 탓 하는 것이 문제이다. 정말 내가 자본을 투자한 사업을 대하는 마음과 자세로 진심과 정성을 다한다면 네트워크 마케팅 사업만큼 가성비 좋고, 성공 가능성 높은 LRHR(Low Risk High Return, 낮은 위험 높은 수입) 사업은 없다고 해도 과언이 아니다.

개인들의 경제활동을 위한 선택지는 크게 두 가지다. 취업 또는 창업. 거기에 선택지를 하나 더 추가해보자. 취업, 창업, 네트.

'큰 기회는 늘 편견 너머에 있다'는, 네트워크 마케팅의 실체에 대해 알아가면서 필자가 깨닫고 정의한 '자가명언(스스로 정의한 명언)'이다. 독자들도 그간의 편견을 잠시 뒤로 밀어놓고 객관적인 시각으로 이 책을 읽다 보면 편견 너머에 있는 풍요와 자유의 기회가 보일 것이다. 남들의 시선과 평가가 두려워 보여줘도 보지 못하는 것, 보이는데도 시도하지 않는 것은 모두 자신의 책임이다. 내 삶에 풍요와 자유를 선물할 수 있다면 남들의 편견쯤이야 기꺼이 감수해야 할 대가이기 때문이다.

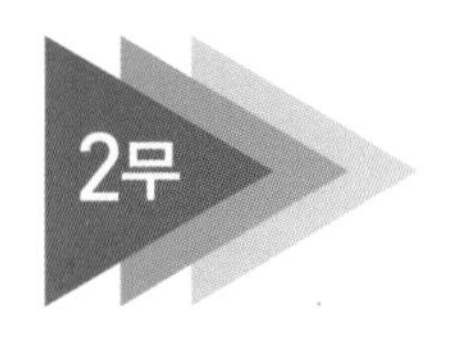

무출근: 월요병을 잊게 해주는

"안녕하십니까, 어서 오십시오. 감사합니다, 안녕히 가십시오!"

아침 7시, 교육훈련 동에 쩌렁쩌렁한 목소리가 울려퍼진다.

'오늘부터 신입 승무원 교육이구나!'

아시아나항공 인재개발팀 근무 시절 자주 경험한 장면이다. 신입 승무원은 아침 7시에 출근해서 한 시간 동안 저 네 가지 인사말을 반복해서 복창한다. 매일 한 시간 동안 미소 짓고, 인사하고, 복창하기를 반복함으로써 자동 반사적인 '서비스 인간'을 만들기 위해서다.

아시아나항공의 출근 시간은 8시다. 심지어 신입 승무원 교육생들은 7시에 출근시켰다. 가까이 사는 직원들은 그나마 다행이다. 멀리 사는 직원들은 그야말로 전쟁이다. 그렇다고 출근하면 반가운 사람, 즐거운 일이 기다리고 있는 것도 아니다. 직원 대다수가 그리 사니 당연한 것으로 받아들이고 매일 출퇴근을 반복하며 산다. 10년, 20년, 30년 동안 매일.

다른 동물과 마찬가지로 인간 역시 원래는 자유로운 동물이었다. 수렵생활, 채집생활, 농경생활을 했던 수십만 년 동안 자신의 시간과 생각과 행동을 스스로 결정하며 살았다. 집단이 커지고, 계급이 생기면서 자기 삶의 통제권 중 일부가 권력자들에게 넘어가긴 했지만 그래도 대부분의 자기 시간과 생각 및 행동은 스스로 통제하며 살았다.

사람들이 자기 통제권을 회사나 상사에게 맡기고 종처럼, 머슴처럼 살기 시작한 것은 불과 몇백 년밖에 되지 않았다. 산업혁명이 부를 가져다주었지만 그 대가로 삶에 대한 통제권을 빼앗아 갔다. 당장 먹고살기도 힘들었던 가난한 시대에는 어쩔 수 없는 선택이었다.

하지만 먹고 사는 것이 어느 정도 해결되자 마음에 여유가 생겼다. 내 삶, 내 꿈, 내 시간이 눈에 들어오기 시작한 것이다. 1970년대 영국에서 업무와 사생활의 균형을 의미하는 용어로 등장한 '워라밸(일과 삶의 균형, Work-life Balance의 준말)'이라는 단어가 유행하는 이유다.

인간은 배만 부르면 되는 동물이 아니다. 인간은 누구나 자신이 의미 있고 가치 있는 존재라는 것을 느끼고 싶어 한다. 남들에게도 인정받고, 존중받고 싶어 하는 고차원적 동물이다.

유대계 미국인 심리학자 에이브러햄 매슬로(Abraham Maslow)는 1943년 욕구 5단계(생리적 욕구, 안전 욕구, 소속감 및 애정 욕구, 존중 욕구, 자아실현 욕구)를 제시하고, 죽기 바로 전 해인 1969년에는 6단계 욕구인 '자아초월 욕구'를 추가했다.

필자가 생각하기에 그중 하위 1~3단계 욕구는 짐승과 인간이 동물로서 가진 본능적 욕구다. 반면, 4~6단계 욕구는 만물의 영장인 인간만이 가진, 본능을 넘어선 초월적 욕구라고 할 수 있다. 인간은 누군가로부터 존중받고 싶어 하고, 잠재력을 극대화하여 자아를 실현하고 싶어 하며, 자기 자신을 넘어 세상과 사람들에게 도움이 되는 존재가 되고 싶어 한다.

먹고살기 힘들 때는 인간만이 가진 초월적 욕구가 잠재의식 속에서 잠자고 있었다. 인간도 동물이기 때문에 먹어야 살 수 있고, 안전해야 살 수 있기 때문이다. 하지만 배가 불러오고 삶이 안정되자 초월적 욕구가 용트림을 시작한다. 탐욕적인 회사와 상사를 위해 자기 자유를 저당잡힌 채, 단지 먹고살기 위해 살아가는 삶에서 불행을 감지하기 시작한 것이다.

회사 다닐 때 제일 싫은 것 중 하나가 '출근하는 것'이었다. 일요일 저녁이면 내일 출근해야 한다는 우울증에 시달렸고, 금요일 저녁이면 내일은 출근하지 않아도 된다는 설렘에 취했다. 그럼에도 먹고살기 위해, 가족을 먹여 살리기 위해 그야말로 꾸역꾸역 출근할 수밖에 없었다. 무려 22년 동안 그리 살았다. 아직 회사에 남아 있는 동기들은 30년 가까이 그리 살고 있다.

직장생활은 일단 출근 시간이 이르고 선택권이 없다. 일이 있건 없건 무조건 아침 일찍 일어나 출근해야 한다. 내가 일어나고 싶을 때 일어날 수 있는 기상의 자유가 없다. 찬란한 아침의 태양을 즐길 수 있는 마음의 여유도 없다. 매일 아침 일찍 힘겹게 일어나, 부리나케 준비해서, 서둘러 출근하기에 바쁜 하루하루다.

회사 다닐 때 어느 휴가 날 아침, 서울 무교동의 큰 건물 1층 카페에 앉아 바삐 출근하는 직장인들을 구경한 적이 있다. 그때 문득 느꼈던 찰나의 감흥이 어찌나 짜릿하던지, 20여 년이 지난 지금도 생생하다.

'너네는 출근하느라 바쁘지? 나는 카페에서 모닝 커피 즐긴다!'

문득 떠오른 유치한 감정에 살짝 놀라면서도 개미 떼처럼 우르르 일터로 쏟아져 들어가는 직장인들을 보면서 짜릿한 해방감을 느꼈었다. '늘 이런 아침을 맞이할 수 있으면 얼마나 좋을까?' 하면서 말이다.

출근길은 전쟁터다. 서울 사는 사람이 아니면 덜 하겠지만 서울 사는 직장인은 매일 아침부터 전쟁을 치른다. 직장만 전쟁터가 아니라 출퇴근길도 전쟁터다. 도로 위는 자동차로 빽빽하고, 전철 안은 사람으로 빽빽하다. 매일 아침 전철 속은 개미굴보다 더 하다. 일면식도 없는 외간 남녀들이 옴짝달싹 못 하고 서로 몸과 얼굴을 맞대고 서 있어야 한다. 아침부터 육두문자 고성이 오갈 때도 있다.

며칠 전 필자가 탄 전철에서도 "아, X발 그만 좀 타!"라는 고성이 울려 퍼졌다. 필자는 그때 문득 이런 생각을 했다.

'저 아저씨, 저리 쌍욕해댄 사람들과 얼굴과 몸을 비비며 꼼짝없이 서 있기 참 민망하겠다!'

출퇴근길 전쟁은 비단 한국에서만 일어나는 일이 아니다. 1990년대 중반 일본 유학 시절 요코하마에서 동경 시부야로 학교를 오갔었다. 그때 일본 전철은 이미 전쟁터였다. 문마다 역무원이 비치되어 뒤에서 사람들을 마치 짐짝처럼 인정사정없이 전철 안으로 밀어넣었다. 상대가 남자든, 여자든 낯선 사람과 한 시간 가까이 몸을 움직일 수 없을 정도로 꼭 붙어 있다 보니 민망한 적이 한두 번이 아니었다. 마주 보고 있는 사람이 남자면 차라리 나았다. 여자면 정말 당혹스러웠다.

그런데 지금 서울의 전철이 딱 그 모습이다. 기상의 자유, 아침 시간의 여유는 고사하고 매일 아침 출근 전쟁하느라 아침부터 몸과 마음이 녹초가 된다. 출근하면 퇴근도 해야 한다. 퇴근 때도 마찬가지로 도로 위에서, 전철 안에서 또다시 전쟁을 치러야 한다. 출근하면서 녹초가 되고, 일하면서 녹초가 되고, 퇴근하면서 녹초가 된다.

그뿐인가? 고생은 고생대로 하고 출퇴근을 위해 매일 2~3시간을 도로 위에, 전철 속에 뿌리고 다닌다. 30년 동안 출퇴근한다고 치면 무려 15,000~22,500시간을 도로 위 또는 전철 속에 뿌리고 다니는 것이다. 그만큼의 기름값, 교통비도 소요되고 말이다.

이런 것 하나하나 다 따지고 살면 힘들기 때문에 그냥 모른 척하고 살지만, 다른 대안이 있다면 어떨까? 매일 출퇴근 전쟁을 하지 않아도 되고, 딱히 일이 없으면 외출하지 않아도 되고, 외출하더라도 한가한 시간에 편한 장소에서 할 수 있는 일이 있다면 말이다.

네트워크 마케팅이 바로 그런 일이다. 출퇴근을 하지 않아도 된다. 내가 원하는 시간에, 내가 원하는 장소에서, 내가 원하는 사람을 만나 입소문을 내는 일이 하는 일의 처음이자 끝이기 때문이다. 원하지 않는 시간이면 그 시간을 피하면 되고, 원하는 장소가 아니면 다른 장소를 선택하면 되고, 원하는 사람이 아니면 안 만나면 된다.

일반적으로, 취업이나 창업을 하면 회사에 의해 일할 시간과 장소가 정해진다. 그래서 할 일이 있건 없건, 나의 의지와 상관없이 매일 정해진 시간에, 정해진 장소로 출근을 해야 한다. 기상의 자유, 아침의 여유는 언감생심이다. 그래서 어쩌다 한번 휴가를 내서 느끼는 기상의 자유, 아침의 여유가 마약처럼 짜릿한 것이다.

하지만 네트워크 마케팅은 업종 특성상 출근할 필요가 없다. 출근을 요구하지도 않는다. 회사에 가도 사업자 개인을 위한 책상은 없다. 사업을 언제, 어디서, 누구와 어떻게 펼칠 것인가는 전적으로 사업자 본인의 선택이기 때문이다.

그래서 기상의 자유, 아침 시간의 여유는 기본이다. 지방에 있는 사업자를 만나기 위해 서둘러야 할 때를 제외하고는 대부분 교육도, 미팅도 출근 시간 이후 한가한 시간에, 한가한 장소로 잡는다. 그렇게 잡는 것이 상대방도 편하게 느끼고, 대화하기도 편하기 때문이다.

코로나 이후 '디지털 노마드'라는 용어가 들불처럼 퍼지고 있다. 디지털 노마드는 1997년 프랑스 경제학자 자크 아탈리(Jacques Attali)가 《21세기 사전》(Dictionaire du XXIe siecle, 1997)에서 처음 소개한 용어다. 노트북이나 스마트폰 등을 이용해 장소에 상관하지 않고 여기저기 이동하면서 업무를 보는 사람을 일컫는 말이다. '제주 한 달 살기', '해외 한 달 살기' 등도 요즘 유행하는 용어다. 제주나 해외에서

한 달 살기를 하면서 일도 하고, 쉼을 갖는다는 의미다. 수많은 사람이 꿈꾸는 삶이다.

네트워크 마케팅이야말로 디지털 노마드의 삶에 딱 적격인 사업이다. 노트북이나 스마트폰만 있으면 내가 제주에 있건, 해외에 있건 사업을 펼칠 수 있다. 네트워크 마케팅은 회사, 제품, 보상을 잘 설명해서 소비자를 발굴하고, 사업자를 육성하는 일만 무한 반복하는 정보전달 사업이기 때문에 직접 만나지 않고 전화나 화상으로 다른 지역 또는 해외에 있는 지인을 대상으로 많은 사업 활동이 이루어지고 있다.

게다가 코로나 덕분에 화상회의가 일상화되었다. 네트워크 마케팅 사업자 중 많은 비율을 차지하는 중장년, 노년층들도 코로나 덕분에 디지털 도구에 익숙해졌다. 아이러니하게도 코로나가 네트워크 마케팅 사업에 날개를 달아준 셈이다. 그동안 디지털 노마드로서의 삶은 디지털 도구에 익숙한 젊은 1인기업가, 지식 창업가들의 전유물이었다. 하지만 이제는 네트워크 마케팅도 중장년, 노년층이 디지털 노마드로서의 삶을 꿈꿀 수 있는 최고의 사업모델 중 하나가 되었다.

원래도 출근이 필요 없는 사업인데 화상 시대가 도래하여 날개를 달았다. 물론 사람을 상대로 하는 일이니 직접 만나는 것이 최고지만 미팅과 교육 중 상당 부분을 화상으로 대체할 수 있게 되었기 때문에 사업이 수월해진 것이 사실이다. 그뿐만이 아니다. 오가는 데 상당 시간이 소요되었던 지방 미팅과 교육, 아예 시도 자체가 불가능했던 해외 사업자와의 미팅과 교육도 화상으로 가능하게 되었다. 월요병 탈출은 물론이고 급한 것은 집에 앉아 화상으로 이야기하고, 직접 보고 싶으면 나들이하는 기분으로 외출해서 원하는 장소에서 가볍고 즐거운 마음으로 펼쳐갈 수 있는 사업이 네트워크 마케팅이다.

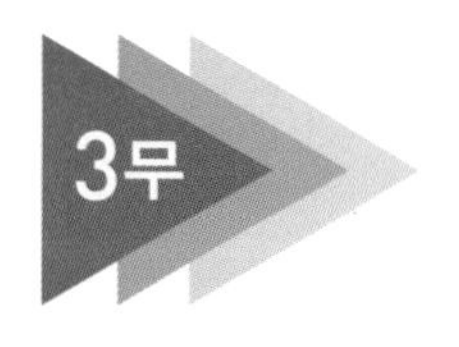

무채용:
채용 부담과
채용 실패의 위험이 없는

"직원 구하기가 너무 어려워서 회사 주변 길거리에 전단지를 붙였습니다. 적합한 인재를 찾아내는 방법 좀 알려 주세요."

코골이, 수면무호흡 치료용 의료기 회사를 경영하는 친구가 최근에 페이스북에 올린 글이다. 여기저기 채용 사이트에 채용공고를 올려도 좀처럼 직원 구하기가 어려워서 급기야 회사 근처 전봇대며, 지하철 출구 등에 구인 전단지도 붙이고, 페이스북을 통해서도 인재를 찾는다는 소문을 내고 있었다. 안타까운 마음에 댓글을 달아주었다.

"앞에 '인재'라는 단어를 붙여서 그런가 봐. 범재, 둔재는 많지만 인재는 많지 않아서"라며 농담 섞인 위안의 댓글을 남겼지만 불안하고 초조한 친구의 처지가 느껴졌다. 젊은이들은 취업이 어렵다고 아우성인데, 중소기업 사장들은 채용이 어렵다고 아우성이다.

그뿐만이 아니다. 채용을 하고 나서도 문제다. 장사하는 사장이든, 기업하는 사장이든 직원관리가 쉽다는 사장은 만나본 적이 없다. 직원들도 업무보다 사람이 어렵다고 하지만, 사장들 역시 업무보다 사람이 어렵다고들 한다. 사람을 채용하는 것도 어려운 일이고, 채용한 사람을 관리하는 것도 어려운 일이기 때문이다.

'사람이 답이다', '인사가 만사다'라고 한다. 사람의 가치와 영향력을 의미하는 말이다. 사람이 가장 중요한 요소인 만큼 가정이든, 회사든, 사회든, 국가든 성공과 실패, 행복과 불행은 사람으로부터 비롯된다고 해도 과언이 아니다. 사람 덕분에 웃고, 사람 때문에 울고, 사람 덕분에 성공하고, 사람 때문에 실패한다.

짐 콜린스(Jim Collins)가 세계적인 베스트셀러 《좋은 기업을 넘어 위대한 기업으로》(Good to Great, 2001)에서 위대한 기업이 되기 위한 첫걸음이 '올바른 사람(Right People)'을 버스에 태우는 것이라고 한 것도 같은 맥락이다. 제대로 된 사람을 뽑으면 목표도 스스로 설정하고, 전략도 스스로 수립해서, 성공도 스스로 일궈낸다는 것이다. 반대로, '올바르지 않은 사람(Unright People)'을 뽑으면 결과는 자명하다. 가게나 회사만의 문제가 아니다. 개인의 인생 역시 올바르지 않은 사람과 인연을 맺으면 실패할 가능성이 커진다.

문제는 올바른 사람을 찾기가 갈수록 어려워지고 있다는 것이다. 더더구나 작은 가게나, 중소기업이 성품과 역량과 열정을 겸비한 인재를 찾기는 하늘의 별 따기다. 운 좋게 그런 인재를 찾았다고 한들 그(혹은 그녀)가 내 가게, 내 회사로 들어와 준다는 보장이 없다. 어렵게 채용했다고 한들 그(혹은 그녀)가 지속적으로 성과를 낸다는 보장도 없다.

심지어 지속적으로 큰 성과를 내도 걱정이다. 인재전쟁 중인 다른 가게, 다른 회사들이 호시탐탐 노리고 있기 때문이다. 애사심, 로열티보다는 개인의 성공과 행복을 더 추구하는 세태도 인재전쟁을 가중시키고 있다.

가게 운영이든, 사업 경영이든 좋은 사람을 채용하고, 잘 관리하는 일이 첩첩산중에서 길을 잃고 헤매는 것만큼이나 길이 안 보이는 이유다. 그래서 중소기업 사장들 대부분이 직원 이야기만 나오면 고개를 설레설레 흔든다. 업무 문제는 시간과 노력으로 해결하면 되는데 사람 문제는 시간과 노력만으로 해결되지 않기 때문이다.

결국 곱씹어 보면 '사람이 답이다', '인사가 만사다'라는 말은 '사람 실패는 사업 실패다'라는 말과 같은 말이다. 그와 같은 사례를 수 없이 목격할 수 있으니 말이다. 작은 가게에서부터 세계를 주름잡던 글로벌 기업까지, 심지어 국가조차도 한 사람 때문에 망하는 일이 흔하다. 사람이 답이고, 인사가 만사이기 때문에 그것에 실패했을 때의 위험이 그만큼 크다는 반증이다.

일, 사물, 시스템은 생명이 없다. 무생물이기 때문에 성품도 없고, 성격도 없다. 무생물이 잘해서 성공을 만들 수도, 잘못해서 실패를 낳을 수도 없다. 일, 사물, 시스템을 선하게 쓰는 것도 사람이고, 악하게 쓰는 것도 사람이다. 그것을 처리하고, 이용하는 사람이 잘 부리면 성공을 낳고, 잘못 부리면 실패를 낳는다. 그래서 사람이 답이라고 하고, 인사가 만사라고 하는 것이다.

게다가 노동관계법은 갈수록 노동자의 권리를 보호하는 쪽으로 강화되고 있다. 회사 상황은 아랑곳하지 않고 법을 악용해 자기 이득만을 취하는 직원들이 많아지고 있다. 문제가 많은 직원임에도 불구하고 노동법 때문에 마음대로 해고도 못 하고 십자가처럼 지고 가는 회사도 많다. 심지어는 근무할 때 문제만 잔뜩 일으켰던 직원이 퇴사 후 앙심을 품거나 사리사욕을 위해 노동부에 제소해서 회사에 물질적 피해뿐만 아니라 정신적 트라우마까지 겪게 만드는 경우도 많다.

사람관리는 원래도 힘들었지만 문명이 발전할수록, 경쟁이 심화될수록 더 힘들어질 것이다. 문명의 발전은 갈수록 사람들을 게으르게 만들고, 경쟁의 심화는 이타심보다는 이기심을 부추기기 때문이다. 가게나 회사가 자동화, 로봇화를 추진하는 저변에는 인건비 절감을 통한 원가절감의 목적도 크지만, 사람을 채용하고 관리하는 데 들어가는 시간비용, 감정비용 절감을 위한 목적도 크게 작용하고 있다.

매달 돌아오는 월급날이 두렵다는 사장들이 많다. 회사를 다닐 때는 그렇게 기다려지던 월급날인데 입장이 바뀌니 월급날이 공포의 날로 바뀌는 것이다. 장사나 사업이 잘된다면 부담 없겠지만 가게나 회사가 적자에 허덕이고 있을 때도 인건비는 꼬박꼬박 지급해야 한다. 매달 월급날이 다가올 때마다 별의별 소리 다 들어가며 돈을 빌리러 다닐 때의 그 마음은 당해보지 않은 사람은 모를 것이다.

사람이 답이고, 인사가 만사라지만 그 정의를 제대로 실현하려면 엄청난 금전비용뿐만 아니라 엄청난 감정비용과 시간비용도 감수해야 한다. 두 명 이상의 조직생활을 해본 사람이라면 누구나 공감하는 이야기일 것이다. 그것도 내가 피고용인으로 있을 때는 개인적인 고통과 스트레스만으로 끝나지만 자본을 투자해서 장사나 사업을 하는 입장이라면 또 다른 차원의 문제다. 오답인 사람을 뽑거나, 만사라는 인사에 실패하면 가게나 회사의 기둥이 흔들리고, 엄청난 스트레스를 겪어야 하며, 심지어는 그 사람 때문에 망할 수도 있기 때문이다.

하지만 네트워크 마케팅 사업자는 직원을 채용할 필요가 없다. 직원을 고용해서 해야 할 정도로 일이 많지 않기 때문이다. 상품개발, 주문, 배송, 반품, 세무회계 등 경영활동에 필요한 모든 것은 네트워크 마케팅 회사가 제공해주고, 네트워크 마케팅 사업자는 오로지 유통에만 전념하면 된다. 업무가 지극히 단순하고 반복적이다. 사람들의 편견이라는 장벽이 너무 높아 주저하거나 실패하는 것이지 업무가 어렵고 복잡해서 주저하거나 실패하는 일이 아니다.

대기업에서 20년 넘게 근무해본 경험으로 비교해보면 네트워크 마케팅 사업을 위한 업무의 양과 난이도, 경쟁으로 인한 스트레스는 대기업의 10분의 1도 안 된다. 필자 역시 대기업 퇴직 후 창업도 해봤고, 중소기업 임원으로도 근무해봤다. 중소기업 운영과 비교했을 때도 네트워크 마케팅 사업을 위한 업무의 양과 난이도, 스트레스 강도는 비교할 수 없을 정도로 적고 낮다.

다만 명예와 명분이 문제다. 유교적 정서가 강한 나라다 보니 남들의 시선과 편견이 선택과 집중에 큰 영향을 미친다. 즉, 업무는 그야말로 단순, 반복적이어서 직원 없이도 충분히 가능한데 남들의 시선과 편견 때문에 네트워크 마케팅을 시작하지 못하거나, 시작했다가도 쉽게 포기하는 것이다.

앞에서도 이야기했듯 직원을 채용하고 관리하기 위해서는 많은 금전비용과 감정비용, 시간비용을 감수해야 한다. 다행스럽게도 가게나 사업이 잘돼서 직원 수가 많아지면 일이나 업무 자체에 매달리는 시간보다 사람 관리에 매달리는 비용과 시간이 더 많아진다.

반면 네트워크 마케팅은 직원이 필요 없다. 그래서 사람을 채용하고 관리하기 위해 지불해야 할 금전비용, 감정비용, 시간비용이 들어가지 않는다. 사람을 채용하고, 관리하는 데 들여야 할 비용과 감정과 시간을 오로지 내가 하는 일에만 집중시킬 수 있다. 워낙 단순하고 반복적인 일이기 때문에, 심지어 60~70세 어른 중에서도 혼자 힘으로 매월 수천만, 수억 원을 버는 사업자가 많은 것이 그 이유다.

앞에서도 이야기했듯 '인사가 만사'인 만큼 좋은 사람을 찾아 채용하기 위해서는 많은 자원이 소요되고 큰 위험이 따른다. 또 채용한 사람을 잘 관리하고 육성하기 위해서도 많은 자원이 소요되고 큰 위험이 따른다. 좀 극단적으로 표현하면 사업 성패의 80~90% 이상은 사람 때문이라고 해도 과언이 아닐 것이다.

하지만 네트워크 마케팅에서는 사람을 채용할 필요가 없으니 채용을 위한 부담과 위험, 채용 이후의 부담과 위험이 아예 없다. 창업해서 직원을 채용해본 사람이라면 누구나 이 한 가지 요소만으로도 네트워크 마케팅 사업의 매력을 느낄 수 있을 것이다.

무상사:
상사의 지시나 평가가 없는

"상사는 천사라도 곁에 없는 것이 최고다"

회사 다닐 때 동료들과 자주 했던 우스갯소리다. 사람을 상대하는 것이 세상에서 가장 어려운 일 중 하나다. 그중에서도 가장 어려운 사람이 상사다. 내 생각과 행동과 시간을 지배하고 통제하는 것은 회사가 아니라 회사 권력의 집행관인 상사이기 때문이다. 멀리 있는 법보다 가까이 있는 주먹이 무섭기 마련이다.

직장 상사는 나의 업무에 대한 지시권과 결과에 대한 평가권을 가진 권력자다. 짧게는 하루하루의 일상을 지배하고, 길게는 내 삶과 꿈에 희망과 절망을 줄 수도 있는 존재다. 오죽하면 상사 때문에 자살하는 사람이 생길 정도겠는가. 삶을 등지고, 가족을 등지고, 세상을 등지는 자살을 감행하게 할 정도로 무서운 존재가 상사다.

따지고 보면 그가 나를 낳아준 것도 아니다. 나를 길러준 것도 아니다. 내게 급여를 주는 것도 아니다. 그런데 그에게 복종해야 하고, 심지어는 잘 보이기 위해 아부를 해야 할 때도 많다. 며칠만 겪어보면 인성도 바닥이고, 능력도 없는 게 빤히 보이는 상사라도 계급이 깡패다. 그에게 복종해야 한다. 때로는 내 업무와 무관한 일, 해서는 안 될 부당한 일일지라도 웃는 낯빛으로 해내야 인정을 받을 수 있다.

수년 동안 준비해온 꿈이 상사에 의해 맥없이 꺾이는 경우도 많다. 하루가 불행한 것은 참을 수 있지만 오랜 꿈이 꺾이는 것은 참기 힘든 불행이다. 분명 내 삶이고, 내 꿈인데 내 판단과 노력에 의해 이루어지는 것이 아니라 상사의 판단과 의지에 따라 좌지우지되는 경우가 비일비재하다.

퇴사를 불사하고 내 뜻을 밀어붙일 수도 있지만 위험한 도박이다. 상사의 눈 밖에 났다가는 온갖 궂은 업무가 모두 내게 배당될 수도 있고, 사사건건 괴롭힘을 당할 수도 있다. 동료들이 보는 앞에서 수시로 의도적이고 공개적으로 무시와 멸시를 당할 수도 있다. 심지어 상사의 눈치를 봐야 하는 동료들에 의해 왕따를 당할 수도 있다. 많은 회사에서 심심치 않게 목격되는 실상이다.

"병원장과 수간호사의 태움(영혼이 재가 될 때까지 태운다는 의미로, 주로 선배 간호사가 후배 간호사를 괴롭히는 악습을 일컫는 은어) 때문에 동료 여덟 명이 사직했습니다."

병원에서 일하는 A씨는 시민단체 '직장갑질119'에 직장 내 괴롭힘을 호소하는 이메일을 보내 이같이 밝혔다. A씨는 '사직서를 쓰는 게

너무 억울해 고용노동청에 신고해봤지만 병원장은 배치전환 및 유급 휴가 등 어떤 조치도 취하지 않았고 가해자는 경징계를 받고 끝났다'며, '한 간호사는 견디지 못하고 자살 시도까지 했다'고 전했다.

직장인 10명 중 3명은 지난해 A씨처럼 직장 내 괴롭힘을 경험했다는 설문조사 결과가 나왔다. 괴롭힘 경험자 5명 중 1명은 회사를 관둔 것으로 파악됐다. (출처: "작년 직장인 10명 중 3명 괴롭힘 겪어…경험자 22%는 퇴사", 연합뉴스)

기사에서 이야기하는 것처럼 '이놈의 회사 확 때려치워?'라며 분노가 치미는 이유의 십중팔구는 상사 때문이다. 업무가 힘들다, 급여가 적다, 비전이 없다 등 회사를 그만두는 데는 여러 가지 이유가 있지만 상사 때문에 그만두는 경우가 가장 많다. 업무가 힘들고, 급여가 적고, 비전이 없어도 상사와 마음만 잘 맞으면 견딜 만하기 때문이다.

탕비실로 뛰어들어가 홀로 울고 있는, 옥상에 홀로 서서 멍하니 마른하늘을 쳐다보고 있는, 퇴근 후 포장마차에 홀로 앉아 눈물을 훔치며 소주잔을 기울이고 있는 회사원의 십중팔구는 상사에게 받은 상처를 곱씹고 있는 경우가 많다.

그렇다면 상사 없는 삶은 불가능할까? 내 생각, 내 행동, 내 시간은 내 것이니 내가 선택하고, 내가 결정하며 살 수는 없을까? 내 삶과 내 꿈을 나의 자유 의지에 따라 선택하고, 준비하고, 온전히 몰입할 수는 없을까? 나 역시 만물의 영장 중 한 명인 '사람'이고, 게다가 자기 삶과 꿈을 스스로 책임질 수 있도록 20년 가까이 수많은 돈과 시간을 들여 공부한 후 사회인이 된 '어른'이니 말이다.

꿈을 달성하는 것은 순간이지만 꿈을 이루는 과정은 세월이다. 꿈을 이루기 위해 노력하는 오랜 세월이 불행하면 삶이 불행한 것이다. 꿈을 이루기 위해 노력하는 오랜 세월 동안 나의 판단과 자유 의지에 따라 아낌없이 몰입할 수 있는 인생이야말로 진짜 행복한 삶이다.

네트워크 마케팅에는 상사가 없다. '스폰서'라고 하는 상위 레벨의 사람이 있긴 하지만 그는 나에게 이 사업을 소개한 사람일 뿐 상사는 아니다. 그에게는 내게 지시할 권한도, 나를 평가할 권한도 없다. 만일 그가 직장 상사처럼 내 위에서 군림한다거나, 내 생각과 행동과 시간을 지배하고 통제하려고 하면 그만두면 그만이다.

네트워크 마케팅 사업을 하는 데는 일반 기업 입사 시 필요한 서류심사, 실기시험, 면접시험과 같은 진입장벽이 없다. 회사나 가게를 차릴 때와 같은 창업비용이 들어가는 것도 아니다. 진입장벽도, 창업비용도 없는 만큼 시작하기도 쉽고, 그만두기도 쉽다. 게다가 '스폰서'가 산하의 '파트너'를 부하처럼 함부로 부릴 수 없는 구조적 특성을 가지고 있다. 편견의 장벽을 넘어 애써 발굴한 파트너가 쉽게 그만둘 수 있기 때문이다.

그래서 네트워크 마케팅 사업 시 상사처럼 군림하는 스폰서는 성공하기 어렵다. 하위 레벨의 파트너들이 떠나버리면 그 스폰서는 더 높은 직급자로 올라갈 수 없기 때문이다. 심하면 직급이 떨어지고, 심각하면 조직이 붕괴될 수도 있다. 즉, 수입이 줄거나 없어질 수도 있다는 의미다. 이와 같은 특성 때문에 상위 스폰서는 늘 하위 파트너의 반응과 상황을 살피고 지원해줘야 하고, 하위 파트너는 늘 상위 스폰서의 생각과 방향을 살피고 협조해야 서로가 성공할 수 있는 사업이다.

네트워크 마케팅의 스폰서는 지시하고 평가하는 상사가 아니다. 아낌없이 나눠주고, 도와주는 후원자다. 파트너가 열심히, 잘해서 성과를 내야만 자신도 성공할 수 있기 때문이다. 열심히 하려는 파트너에게는 자기가 가진 지식과 경험과 시간을 아낌없이 나눠준다. 파트너가 부탁하지 않아도 좋은 자료도 구해주고, 자기 시간을 투자해서 가르쳐주고, 좋은 책도 알려주고, 좋은 사람도 소개해주고, 흔들릴 때는 비전을 되새겨주고, 힘들어할 때는 친구가 되어주기도 한다. 둘도 없는 삶의 동반자, 꿈의 동업자가 되어준다.

스폰서 입장에서는 그동안 우리가 '완벽한 리더'라고 정의했던 역할을 제대로 수행해야만 성공할 수 있는 사업이 네트워크 마케팅이다. 끊임없이 롤모델이 되어주고, 비전을 제시하고, 지식과 경험을 나눠주고, 동기부여를 해주는 역할 말이다. 잘난 부하를 이용하고, 밟고 올라가서, 내 자리를 보호하기 위해 싹을 자르기도 하는 직장 상사와는 차원이 다르다. 네트워크 마케팅에서는 파트너의 성공 없이는 스폰서의 성공도 절대 있을 수 없기 때문이다.

그렇기에 네트워크 마케팅에서는 직장 상사로부터 받는 수많은 중압감, 늘 감시받고 평가받고 있는 것 같은 불편함이 없다. 직장 상사는 마치 내가 먹고살기 위해 참고 받아들여야 할 숙명 같은 존재지만, 네트워크 마케팅에서는 그런 상사로 인한 고통과 불편 속에 자신의 삶을 방치할 필요가 없다. 마음에 없는 미소도, 아부도, 정치도 필요 없다.

물론 스폰서 중에도 이상한 사람, 이기적인 사람이 있다. 그로 인해 갈등과 스트레스를 겪는 경우도 있다. 하지만 일방적 권력을 행사하는 직장 상사와는 차원이 다르다. 여차하면 파트너가 그만둘 수도 있다. 스폰서로 인해 해당 파트너 그룹이 순식간에 무너질 수도 있기 때문이다. 그 사실을 스폰서도 잘 알고 있기 때문에 직장 상사와 같은 일방적 권력은 절대 휘두를 수 없다.

그래서 네트워크 마케팅 사업에서의 스폰서와 파트너는 상하관계가 아니라 상생관계다. 서로 끌어주고, 밀어주는 관계가 성립되어야 서로가 성공할 수 있기 때문이다. 자발적이고 적극적인 도움을 아낌없이 주고받는 관계다. 아부와 정치가 판치는 음흉하고, 이기적이고, 배타적인 제로섬(한쪽이 득을 보면 반드시 다른 한쪽이 손해를 보는) 경쟁이 아니라 우리가 그동안 그토록 바라던 수평적이고, 우호적이고, 상호존중의 관계를 통해서도 얼마든지 돈을 벌 수 있고, 부자가 될 수 있는 유일무이한 사업이 네트워크 마케팅 사업이다.

무잡무: 잡무에 시달릴 필요가 없는

직장생활을 할 때 그룹 회장님의 모친이 돌아가신 적이 있다. 계열사별로 인력이 차출되었다. 필자도 그중 한 명이라 서울 강남의 모 대형 병원 장례식장 VIP룸 장례지원단이 되었다. 빈소가 마련되자 조화가 정말 쓰나미처럼 밀려 들어왔다. 나중에는 공간이 부족해 조화가 도착하자마자 리본만 떼어내고 조화는 바로 폐기 처분했다.

리본은 만일을 대비해 빈소 벽에 붙여가기 시작했는데 나중에는 리본 붙일 공간이 부족해졌다. 그래서 리본 위에 리본을 덧붙이기까지 했다. 대형병원 VIP 빈소의 넓디넓은 사방 벽이 길고 치렁치렁한 조문 리본으로 뒤덮였다. 돈의 권력을 절감하게 해주는, 소름 돋는 장관(?)이었다. 10년 이상 지난 일인데도 마치 카메라로 찍어둔 사진처럼 기억 속에 생생하게 남아 있을 정도니 말이다.

"박 과장! 김 아무개 국회의원이 도착했단다. 서둘러!"

갑자기 빈소가 술렁인다. 빈소 벽면에 걸어두었던 수많은 리본 중에서 방금 도착한 국회의원이 보낸 화환의 리본을 서둘러 찾은 다음, 장례식장 입구 제일 잘 보이는 위치에 있는 조화에 재빨리 바꿔 달아야 했기 때문이다. 귀빈 조문객이 빈소에 들어서기 전까지 임무를 완수하지 못했다가는 나중에 호된 질책을 받을 수 있기 때문에 직원들의 동작이 다급해진다.

후다닥 '조화 치우기'와 와다닥 '리본 바꿔 달기'는 한밤중이 되도록 이어졌다. 그다음 날도, 그다음다음 날까지도. 그 모든 일을 여러 계열사에서 차출된 직원들이 해냈다. 장례식장 한 귀퉁이나 조화 뒤에서 눈치 보며 뻘쭘하게 서 있다가 귀빈이 도착했다는 외침이 들리면 부리나케 튀어나가 '조화 치우기'와 '리본 바꿔 달기'를 반복하면서 '내가 직원인가, 머슴인가?'라는 생각이 들었다.

회사에는 회장, 사장, 부사장, 전무, 상무, 이사, 부장 등 높은 계급이 많기에 신경 쓰이는 경조사도 많다. 직원들이 회사 상사의 경조사에 동원돼서 오랜 시간 장례를 돕는 것은 명백히 잡무다. 아니, 사실은 직원들에게 시켜서는 안 될 사적인 일이다. 내 업무가 밀린 상태임에도 불구하고 경조사 도우미로 동원돼서 한밤중까지 조화 치우기와 리본 바꿔 달기를 할 때의 기분은 잡무를 하는 것이 아니라 착취당하고 있다는 모멸감이 들었다. 그래도 시대 변화에 따라 그런 일이 줄어들고 있는 것 같아 다행스럽다.

위 이야기는 다소 극단적인 사례지만 회사생활을 하다 보면 이외에도 소소한 잡무들이 참 많다. 회사의 다양한 행사에도 참여해야 하고, 수많은 회의에도 참여해야 하고, 팀 내의 다양하고 소소한 공통 업무도 분담해야 한다.

행사와 회의는 왜 그리도 많은지. 회사의 성장과 발전을 위해 순수한 의도로 기획된 행사도 많지만 관리자가 자기 존재를 과시하기 위해 음흉한 의도로 기획된 행사도 많다. 해서는 안 될 행사라는 것이 빤히 느껴지는데도 계급이 깡패다 보니 울며 겨자 먹기로 열심히 노력, 봉사해야 한다.

불필요한 회의도 많다. 때로는 내 업무와 전혀 관계없는 회의인데도 개최자 또는 상사의 판단 착오 때문에 그 회의에 참석해서 꿀 먹은 벙어리처럼 앉아 있다가 오는 경우도 많다. 내 업무는 밀리고 쌓여가고 있는데도 말이다.

회사 사무실에서 흔히 발생하는 줄다리기 중 하나가 공통 업무 떠넘기기다. 월례회의 참석, 주간회의 참석, 탕비실 관리, 사무실 청소, 팀 워크숍 준비, 팀원 근태관리, 팀원 문화행사 준비, 팀 회식 준비 등등. 여러 사람이 함께 모여 일을 하다 보면 자연스럽게 다양하고 소소한 공통 업무들이 발생하기 마련이다. 과거에는 주로 막내나 사원들에게 시키는 경우가 많았지만, 시대가 바뀐 지금은 선배 직원들까지 돌아가며 맡는 경우가 많다.

이런 형국이다 보니 회사원들에게 물어보면 본 업무가 무엇인지 헷갈린다는 사람도 있다. 특히 직급이 낮을수록 담당 업무 이외에 감당해야 하는 잡무들이 많다. 그 잡무들을 두고 서로 안 하려고 밀당하는 스트레스도 이만저만이 아니다. 잡무를 균형 있게 배분하기도 어려울뿐더러, 공통 업무는 안 하려고 이리 빼고, 저리 빼는 얌체 직원들이 꼭 있기 때문이다.

그러나 네트워크 마케팅 사업에는 잡무가 없다. 나와 관계없는 행사에 참석하라고 강요하는 사람도 없고, 공통 업무 좀 맡아 달라고 요구하는 사람도 없다. 네트워크 마케팅은 혼자 일하는 1인기업이고, 정해진 공간이 필요 없는 무점포 사업이다. 보통의 회사에서는 특정 공간에, 여러 사람이 모여 함께 일하다 보니 근태관리, 음료관리, 행사관리, 공간관리 등의 잡무가 자연스럽게 발생하지만, 혼자 일하고, 점포 없이 일하는 네트워크 마케팅 사업에서는 발생할 일이 없다.

물론 이상한 네트워크 회사나 이상한 스폰서를 만나면 이상한 잡무를 강요하는 경우도 있다. 공사 구분 없이 나와 관계없는 일을 시킨다거나, 다른 사업자의 일을 반복적으로 돕도록 강요할 수도 있다. 물론 서로 자발적으로 돕고 나누는 것은 당연하고 필요한 문화다. 네트워크 마케팅도 사업이기 때문에 협력의 시너지가 반드시 필요하기 때문이다.

하지만 회사나 스폰서의 강요에 의해, 일방적으로 내가 이용당한다면 그건 다른 문제다. 그것은 본인이 회사나 스폰서를 잘못 선택한 결과다. 실수로 그런 회사, 그런 스폰서를 선택했더라도 불합리한 회사, 무례한 스폰서라는 것이 판단되면 빨리 그만두는 것이 낫다. 문제가 심각한 회사나 스폰서와 계속했다가는 나중에 더 큰 손해와 피해를 당하기 십상이기 때문이다.

앞에서도 이야기했던 것처럼 네트워크 마케팅 사업에는 상사가 없다. 내게 사적인 업무나 잡무를 시킬 사람 자체가 없는 것이다. 때문에 모든 일을 오로지 내 판단에 따라 할지 말지 결정하면 된다. 업무든 잡무든 내 성과와 성공에 도움이 되면 내가 선택해서 하면 되고, 도움이 되지 않는다면 안 하면 된다. 순전히 내 선택이다.

네트워크 마케팅 사업에서는 일반 회사에서 흔히 발생하는 행사 지원, 내 업무와 무관한 회의, 팀 내 공통 업무 등의 다양하고 소소한 업무 자체가 없기 때문에 내 본 업무 이외의 잡무는 할 일이 없다. 오로지 소비자를 발굴하고 사업자를 육성하는 내 일, 내 본 업무에만 전념할 수 있다. 물론 그 과정에서 발생하는 소소한 일들, 이를테면 자료를 만들고, 전화를 하고, 약속을 잡는 등의 자잘한 업무도 해야 하지만 그 모든 일이 100% 내 사업의 성장 및 수입과 직결되는 일들뿐이다.

나머지 상품개발 및 공급, 주문, 배송, 반품, 회계 등등의 업무는 네트워크 마케팅 회사에서 담당하기 때문에 네트워크 마케팅 사업자는 그야말로 소비자를 늘리고, 사업자를 육성하는 내 사업, 내 본업에만 혼신을 다해 전념할 수 있다. 나머지 시간은? 자유다!

무재고: 재고 위험이 전혀 없는

'떴다방이 떴다!'

운동을 다니며 오가는 길목에 떴다방이 떴다. 이 가게, 저 식당으로 아이템이 수시로 바뀌는가 싶더니 한참 동안 비어 있던 매장에 오늘은 재고 의류를 판매하는 떴다방이 들어왔다. '눈물의 창고 정리', '눈물의 점포 정리'라는 글씨들이 애절하게 사람들을 부르고 있지만 이 골목, 저 마을에서 하도 많이 경험하는 장면이라 지나가는 사람들은 무표정, 무관심하다. 그 옷들도 누군가의 자본과 땀을 통해 태어나서, 한때는 멋진 매장에서 한껏 폼을 잡고 걸려 있었을 텐데 안타까운 일이다.

사업을 해본 사람은 재고가 무섭다는 것을 안다. 사업 경험이 없더라도 조금만 생각해보면 재고의 위험성을 알 수 있다. 팔려나간 제품과 동일한 비용을 들여서 제작하거나 매입한 제품인데 팔리지 않고 창고에 쌓여 있으면 투자된 자금이 회수되지 않을 뿐만 아니라 재고관리를 위한 비용이 계속 발생한다. 게다가 시간이 지날수록 계속 낡아서 가치가 하락한다.

유행을 타는 제품은 유행에 뒤떨어지게 되고, 유통기한이 있는 제품은 유통기한을 넘겨 쓰레기가 될 수도 있다. 유행에 뒤떨어진다거나 유통기한이 넘어간다는 이야기는 결국 팔리지 않아 그것을 처리하는 비용까지 발생할 수 있다는 의미다. 재고의 양과 보유 기간이 늘어날수록 위험과 비용이 기하급수로 엎치고 덮치는 것이다.

'재고 처분'이라는 글씨를 덕지덕지 붙여 놓고 한때 잘나갔던 상품을 초저가로 땡처리하는 일명 '떴다방'들이 많다. 한때는 백화점에서 멋진 자태를 뽐내던 고가 상품들도 천덕꾸러기가 돼서 동네 뒷골목 가판대에 싸구려로 널려 있는 경우를 심심치 않게 볼 수 있다.

물론 기업들은 판매량과 재고비용을 감안하여 제품 가격을 결정한다. 하지만 그것은 어디까지나 예측일 뿐이다. 시장과 소비자가 기업이 예측한 대로 반응하지 않기 때문이다. 예측이 빗나가 애초부터 팔리지 않는 상품이 더 많을 뿐만 아니라, 초기에는 반응이 좋았던 상품도 소비자가 한순간에 썰물처럼 사라지는 경우도 비일비재하다. 그래서 그렇게 많은 떴다방들이 횡행하는 것이다.

이처럼 재고비용은 예측이 어렵다. 소비자 반응도 예측하기 어렵고, 시장에 어떤 일이 일어날지도 예측하기 어렵기 때문이다. 경기가 갑자기 가라앉을 수도 있고, 뜬금없이 강력한 경쟁자가 나타날 수도 있다. 이웃 나라에서 갑자기 전쟁이 일어나 해당 국가 시장이 통째로 사라지기도 한다. 한참 잘 나가던 제품이 정부의 갑작스러운 규제 때문에 갑자기 판매가 멈출 수도 있다. 그야말로 시장은 온 천지가 지뢰밭이다.

성공의 길은 한 길인데 실패의 길은 무한대다. 사업에서 성공하기 어려운 이유가 바로 1개의 성공하는 길과 99개의 실패하는 길이 있고, 경영활동을 지속하는 동안 매 순간 1:99의 비율로 실패 확률이 높은 선택을 반복해야 하기 때문이다.

그래서 운칠기삼(운이 7할이고 재주나 노력이 3할이라는 뜻으로, 사람의 일은 재주나 노력보다 운에 달려 있음을 이르는 말)이라고 하는 것이다. 전지전능할 수 없는 인간이기에 10년, 20년, 30년 동안 변화무쌍한 내·외부적 위험을 모두 피해 가는 선택을 반복할 수는 없기 때문이다. 그중에서도 재고가 쌓이는 위험은 매 순간, 시도 때도 없이 기업을 괴롭히는 끈질긴 악동 중 하나다.

반면 네트워크 마케팅 사업자의 재고 위험은 제로다. 상품에 대한 모든 책임은 네트워크 마케팅 회사가 부담하기 때문이다. 새로운 상품을 개발하고, 그것을 제조해서, 주문을 받아 배송하고, 반품 절차를 진행하는 곳은 네트워크 마케팅 회사다. 상품에 대한 소유권 자체가 회사에 있기 때문에 사업자는 재고 부담을 가질 필요가 없다. 재고관리를 위한 창고비용도 네트워크 마케팅 회사의 몫이다.

물론 아직도 일부 네트워크 마케팅 회사나 사업자가 사재기를 강요해서 개인적으로 재고 부담을 갖게 하는 경우가 있긴 하다. 필요도 없는 제품을 가입조건으로 대량 구매를 강요하는 회사도 있다. 창업

비용이라는 그럴싸한 명목을 제시하면서 말이다. 그러나 그것은 그 회사 또는 그 사업자에게 문제가 있는 것일 뿐 네트워크 마케팅 사업 모델 자체가 그런 특성을 가진 것은 아니다. 사업을 시작하려는 사람이 그것을 잘 판별해서 그런 회사, 그런 사업자와 함께할지 말지를 선택하면 된다.

정상적인 네트워크 마케팅 회사는 사업자들에게 사재기를 조장하지 않는다. 바람직한 스폰서는 파트너에게 사재기를 강요하지 않는다. 네트워크 마케팅을 자신의 사업 아이템 중 하나로 고민한다면 가장 먼저 해야 할 것은 정상적이고 바람직한 회사와 스폰서를 선택하는 것이다. 사재기를 하지 않아도 성공할 수 있는 좋은 네트워크 마케팅 회사도 많기 때문이다. 그런 회사만 고른다면 사실 재고는 사업자의 리스크 영역이 아닌 회사의 리스크 영역이다. 사업자는 그저 회사의 상품을 입소문 내주고, 새로운 소비자를 발굴해서 그 상품을 애용하도록 도와주는 역할만 하면 된다.

특정 사업이 '재고 위험 제로'라는 것은 그 사업의 실패 위험은 매우 낮고, 지속가능성은 매우 높다는 의미다. 대다수의 사람들은 한정된 자금을 가지고 사업을 시작하고, 사업 중간중간 자금을 계속 조달하는 것도 쉽지 않은 일이다. 그런 대부분의 평범한 사업자들에게 '재고 위험 제로'는 심각한 실패 위험 요소 중 하나가 없는 것과 같다.

재고비용은 사업자의 개인 사정을 봐주면서 발생하는 것이 아니다. 사업자의 노력에 의해 방지할 수 있는 비용도 아니다. 소비자와 시장의 반응과 국내외의 다양한 사건, 사고에 의해 즉, 외부의 다양한 변수에 의해 언제든지 발생할 수 있는 비용이다. 그것도 매우 큰 금액, 지속적이고 반복적인 손실로 말이다.

하지만 네트워크 마케팅 사업자에게는 내 선택에 의해 손해를 100% 방지할 수 있는 비용이다. 내게 필요한 제품만, 내게 필요한 양만큼 구입해서 사용하면 되기 때문이다. 단기간에 성공하고 싶은 욕망 때문에 필요 이상으로 구입하는 경우도 있지만 그것은 외부적 환경 때문에 내 의지, 의도와 상관없이 떠안게 된 크고 장기적인 재고비용과는 차원이 다르다. 스스로 선택한 일회성 과소비이기 때문이다. 위험이 감지되는 순간 멈추면 그만이다.

네트워크 마케팅 사업에서도 이상한 회사나 이상한 스폰서를 만나면 사재기를 강요당해 집안 곳곳이 창고가 되는 경우도 있다. 그런 회사나 스폰서라면 애초에 함께 사업을 시작하지 말아야 하고, 시작한 후에 알게 되었더라도 그만두는 것이 좋다. 그런 방식으로 사업을 해온 회사와 스폰서는 계속 그런 방식을 강요할 확률이 높기 때문이다. 네트워크 마케팅 사업에서 피해자를 양산하고, 그로 인해 네트워크 마케팅에 대한 편견을 조장한 대표적으로 잘못된 사업방식 중 하나다.

제대로 된 회사, 바람직한 스폰서를 만나면 '재고 위험 제로'로 펼칠 수 있는 것이 네트워크 마케팅 사업이다. 이 사업의 가장 큰 매력 중 하나다. 그런데 현실은 그 매력을 망가뜨리는 회사나 사업자들이 꽤 많다. 그렇기에 네트워크 마케팅을 사업으로 하게 된다면 사재기를 강요하는 회사나 스폰서가 아닌지 잘 확인해야 하고, 나 자신도 그런 방식으로 하지 않도록 주의해야 한다.

그래야 나 자신도 피해자가 되지 않을 뿐만 아니라 나로 인해 피해자가 생기는 것도 방지할 수 있다. 이 일을 진짜 소중한 내 사업으로 생각하고, 오래도록 성공적으로 하고 싶다면 반드시 그렇게 해야 한다.

무회계: 골치 아픈 숫자에서 벗어나게 해주는

처음 사업하는 사람들이 가장 힘들어하는 업무 중 하나가 세무회계 업무다. 어지간히 공부해도 도대체 이해하기 힘든 업무이기 때문이다. 심지어 경영학이나 회계학을 전공한 사람들도 현장의 세무회계 업무는 힘들어한다.

회계사나 세무사에게 설명을 들어도 명쾌하게 이해되지 않는다. 답답한 마음에 온라인, 오프라인 교육을 들어봐도 도대체 딴 나라 이야기 같다. 학부와 대학원에서 경영학을 전공한 필자에게도 이해하기 힘들고, 귀찮은 업무이니 다른 사람들에게는 오죽할까 싶다.

현장은 이론과 실제가 다를 뿐만 아니라 예측할 수 없는 변수와 상황들이 너무 많다. 세무회계 관련 법규들은 매우 복잡하고 어려운 데다가 수시로 바뀌기까지 한다. 그래서 현장에서 발생하는 복잡한 상황을 적법한 세무회계법에 맞게 해석하고, 처리하는 전문가인 회계사, 세무사 자격이 별도로 있는 것이고, 그 자격시험이 고시라고 할 만큼 어려운 것이다. 사업자들이 세무의 세자, 회계의 회자만 들어도 고개를 살래살래 흔드는 것이 당연하다.

회사를 경영하든 가게를 운영하든 사업을 하는 가장 큰 목적은 '돈'을 벌기 위한 것이다. 그래서 사업자는 당연히 '돈'에 가장 민감하다. 국가는 국가대로 세금 즉, 돈이 있어야 돌아가기 때문에 두 눈을 부릅뜨고 돈의 흐름을 감시한다. 회계를 조작해서 수입을 감추고, 탈세를 일삼는 사업자들이 있기 때문에 국가는 기본적으로 불신을 가지고 사업자들을 매섭게 바라보고 있다.

때문에 작은 기업이건 큰 기업이건 세무회계는 기업의 운명을 좌우하는 중요한 업무 중 하나다. 작은 기업을 하는 사람들은 '회계는 가족에게 맡겨라', 큰 기업을 하는 사람들은 '회계는 충복에게 맡겨라'라고 하는 것이 그 증거다. 기업가든, 권력가든 늘 자금을 관리하는 사람을 곁에 두는 이유다.

기업의 경영활동 중 외부인이 수시로, 합법적으로 개입하고 있는 몇 안 되는 분야 중 하나가 세무회계 분야다. 이 말은 두 가지 의미를 담고 있다. '세무회계 업무는 매우 어렵다'는 사실과 '세무회계 업무는 매우 민감하다'는 사실이다.

배우기도 어렵고, 제대로 처리하기도 어려운 일인데, 그 일이 기업의 흥망을 좌우할 수도 있을 만큼 민감하다는 것이다. 그렇다 보니 아무리 어렵고 복잡한 일이어도 기업을 하려면 세무회계를 신경 쓰지 않을 수 없다. 죽어라 번 돈이 세무회계를 잘못해서 세금으로 탈탈 털렸다는 기업들도 많고, 심지어 회사가 망하기도 하고, 경영진이 감옥에 가게 되는 이유도 세무회계 문제에서 비롯되는 경우가 많다.

그래서 거래가 일어날 때마다 양자가 세금계산서를 발행하고, 무수한 세금계산서를 관리하는 직원을 따로 두고, 처리 과정에 수시로 문제가 발생해 그것을 확인하고 해결하느라 무수한 시간과 비용과 스트레스를 감수해야 한다. 특히 세무회계 전문가를 고용하기 어려운 중소기업 사장들 중에는 일 같지도 않은 그놈의 세무회계 업무 때문에 머리 아파 죽겠다고 하소연하는 사람도 많다.

하지만 네트워크 마케팅 사업자는 상품 거래에 따르는 세무회계를 신경 쓸 필요가 없다. 네트워크 마케팅 사업자는 상품 거래의 주체가 아니기 때문이다. 상품 거래의 주체는 네트워크 마케팅 회사다. 상품 거래의 주체인 네트워크 마케팅 회사가 회원들이 구입한 상품에 대한 세무회계 처리를 수행하기 때문에 네트워크 마케팅 사업자는 세무회계 처리 업무와 무관하다.

네트워크 마케팅 회사는 직접유통 회사이므로 상품 거래는 네트워크 마케팅 회사가 소비자와 직접 한다. 그사이에 총판도, 도매상도, 소매상도 없다. 생산자인 네트워크 마케팅 회사가 소비자에게 상품을 직접 공급하기 때문이다.

네트워크 마케팅 회사는 자사의 소비자 회원들 중 사업으로 해보고 싶어 하는 회원들에게 유통 대행, 엄밀히 말하면 정보유통 대행 권한만 준 것이다. 기존의 유통 대행자인 총판, 도매상, 소매상은 상품의 이동 과정에도 참여하는 '물적유통 대행'과 상품에 대한 정보를 전달하는 '정보유통 대행'이라는 두 가지 유통 대행 역할을 했었다. 그 두 가지 역할에 대한 대가로 상품가격 중 70~90%를 유통마진으로 가져간 것이다. 하지만, 네트워크 마케팅 사업자는 상품의 이동 과정에는 참여하지 않는다. 상품의 소유권자이자 상품 거래의 주체인 네트워크 마케팅 회사가 소비자에게 직접 배송(유통)하기 때문이다.

네트워크 마케팅 사업자는 기존의 유통 대행자들과 달리 물적유통에는 참여하지 않고, 정보유통만 대행한다. 1차적으로 본인이 소비자가 되어 사용해본 후 괜찮다고 생각되면 주변에 알리는 역할만 하는 것이다. 생산자인 네트워크 마케팅 회사와 다른 소비자가 직접 거래를 할 수 있도록 도와주면 그에 대한 대가를 지급해주겠다는 것이 네트워크 마케팅 회사의 비즈니스 모델이다.

이러한 직접유통 사업모델 특성상 정보유통만 대행하는 네트워크 마케팅 사업자는 상품 거래에서 발생하는 세무회계 업무와는 무관한 사람이다. 네트워크 마케팅 사업자는 정보유통 대행에 대해 소개 수수료에 해당하는 수당을 받게 되는데, 수당을 지급할 때 네트워크 마케팅 회사에서 소득세를 제하고 지급한다. 나를 통해 이루어진 상품 소개와 거래 관련 세무회계 업무가 회사에 의해 완결되는 것이다. 상품 소개와 거래 과정에 네트워크 마케팅 사업자인 내가 처리해야 할 세무회계 업무는 전혀 없다.

큰 기업이 아니라 1인기업이라도 상품을 하나라도 팔거나 사면 세금계산서를 발행해야 하고, 매입과 매출을 누락해서 세금 폭탄을 맞지 않도록 늘 신경 써야 하며, 정기적으로 세금 신고를 해야 한다. 기업이 아무리 작더라도 나라에서 정한 세무회계 관련 법률상의 모든 프로세스를 지켜야 하기 때문이다.

하지만 네트워크 마케팅 사업자는 분명 1인기업처럼 움직이지만 세무회계 업무가 없다. 대기업 퇴직 후 작은 회사를 경영해본 필자의 경험으로는, 분명히 사업은 사업인데 '세무회계 업무가 없다'라는 사실 하나만으로도 네트워크 마케팅 사업의 매력이 10배는 올라가는 것 같다.

무차별:
나의 노력과 성과만으로 승진과 보상이 결정되는

최근에 필자가 사업 중인 네트워크 마케팅 회사에서 월 천만 원 이상의 직급을 달성한 사업자들을 해외 여행에 초대했다. 총 258명이 초대되었는데, 참여한 인원의 평균 연령이 60대 중반이고, 그중에는 충남 서산의 연세 많은 농부도 계셨다.

많이 놀랐다. 억대 연봉 인원에도 놀랐고, 평균 나이에도 놀랐다. 참여자 중 많은 사람이 회사에 다녔으면 이미 퇴직당해 놀고 있을 나이에 억대 연봉을 받고 있고, 그중에는 평생 농사만 지어온 나이 많은 시골 할아버지, 할머니도 계셨다니 놀라지 않을 수 없었다. 이런 세상이 있다는 것을 늦게 안 것이 아쉬울 정도였다.

필자와 함께 사업 중인 분 중에 부산의 한 여성 사업자 이야기다. 그분은 한쪽 눈이 불편한 상태다. 원래는 정상이었던 눈에 문제가 생겨 수술을 수차례 받았지만 회복이 되지 않아 시력을 완전 상실했다. 그래서 지금은 늘 한쪽 눈에 안대를 하고 다닌다. 보통 사람은 상상할 수 없는 고통과 역경을 겪어온 분이다.

그분이 최근에 월 천만 원의 직급자가 되어 무대에 올라 소감을 발표하며 환하게 웃는데 무대 아래에 있던 우리는 말로 표현할 수 없는 안쓰러움과 주체할 수 없는 감동을 느끼며 펑펑 울었다.

그녀를 네트워커로 발굴해 성공한 사업자가 되도록 도와준 스폰서는 무대 곁 기둥 뒤에 숨어 연신 눈물을 훔쳤다. 무대에서 두 분이 꼭 껴안고 기쁨과 감사의 눈물을 흘리고 있는 장면은 세상 그 어느 영화보다도 감동적이었다. 글로 그 장면을 회상하고 있는 지금도 눈물이 고일 정도니 말이다.

위 두 사례는 비단 필자가 사업 중인 네트워크 마케팅에서만 볼 수 있는 장면이 아니다. 합법적이고 바람직한 네트워크 마케팅 회사에서는 자주 볼 수 있는 장면이다. 네트워크 마케팅 사업에서는 학력 차별, 나이 차별, 장애 차별이 없다는 증거다.

'세상은 불공평하다'

'세상은 공평하다'라고 교육을 받았지만 실제 살아 보니 세상은 불공평하다. 태어날 때부터 부잣집에 태어난 사람이 있는가 하면, 가난한 집에 태어난 사람도 있다. 태어날 때부터 천재적 지능을 가지고 태어난 사람이 있는가 하면, 저능아로 태어난 사람도 있다. 태어날 때부터 건강하게 태어난 사람이 있는가 하면, 장애인으로 태어난 사람도 있다. 생의 시작부터 불공평하다.

그것뿐만이 아니다. 이처럼 태어날 때부터, 내 의지나 노력과는 무관하게 가지고 태어난 나의 신분적, 신체적 조건에 의해 사회적 차별이 시작된다. 사랑의 차별, 관심의 차별, 기회의 차별 말이다. 우리는 그러지 않기를 바라고, 교육에서도 그리해서는 안 된다고 가르치지만 냉엄한 현실은 사실이다. 돈과 기회와 생존 앞에 공평과 공정을 기대한다는 것이 오히려 불합리한 일이 아닐까?

아주 어릴 때부터 신분, 신체적 조건 때문에 삶에 차별이 생긴다. 선진국에 들어선 지금도 20~30만 명의 아이들이 삼시 세끼를 제대로 못 먹고 산다는데, 어떤 아이들은 좋은 음식을 먹고, 비싼 옷을 입고, 안전한 환경에서 자라, 고가의 유치원에 가고, 공부를 못해도 유학까지 간다.

성장과정에서의 차별도 만만치 않다. 부모님의 직업, 집안의 재력에 따라 차별이 생긴다. 공부를 잘하느냐 못하느냐에 따라서도 차별이 극심하다. 얼굴이 잘생겼느냐 못생겼느냐에 따라서도, 노래를 잘하느냐 못하느냐에 따라서도, 운동을 잘하느냐 못하느냐에 따라서도 차별이 극심하다. 어쩌면 인간사회는 차별에서 우위를 점하기 위한 전쟁터라고 해도 과언이 아니다.

그 우위가 내게 자신감, 자존감, 자아실현감을 주고, 부귀와 영화까지 보장해주기도 한다. 그런 면에서 차별은 적자생존의 작동기재라고 할 수 있다. 세상을 발전시키고, 성장시킨 것이 인간들의 경쟁을 유발시키는 '차별'이기 때문이다.

성인이 되면 차별을 통해 생존이 좌우된다. 어릴 때는 관심과 사랑의 차별 정도로 끝났지만 성인에게 차별은 생존의 문제다. 학력차별 때문에 취업을 못 하고, 성차별 때문에 기회를 못 얻는다. 취업을 해서 들어간 회사에서도 때로는 학력이 승진과 급여에서 차별을 발생시키기도 하고, 성이나 장애 또는 나이 때문에 차별당하는 경우도 있다. 100% 나의 성품과 성격과 성과만을 가지고 나의 승진과 급여가 결정되는 경우는 전혀 없다고 해도 과언이 아니다.

우리는 태어날 때도 차별을 가지고 태어나고, 살아가면서도 차별 속에서 살고, 죽을 때도 차별을 받으며 죽는다. 차별은 생물체의 생존과 진화를 위해 불가피한 것이다. 부정하고 분노할 것이 아니라 나의 성공과 행복을 위해 인정하고 넘어서야 할 장벽이다.

네트워크 마케팅 사업을 하면서 가장 놀랐던 일 중 하나가 무차별이다. 네트워크 마케팅 사업에서는 신분적, 신체적 조건을 따지지 않는다. 사업을 시작할 때도, 사업을 시작한 후에도 신분적, 신체적 조건은 전혀 차별의 기준이 되지 않는다. 오로지 나의 노력과 성과만으로 승진과 보상이 결정된다.

초등학교도 졸업하지 않은 무학자도 시작할 수 있고, 높은 직급으로 승진하고, 엄청난 보상을 받을 수도 있다. 장애가 있어도 가능하고, 나이가 80~90세여도 가능하다. 인터넷 세상이 된 지금은 하루 종일 집에 앉아서 혹은 침대에 누워서도 가능하다. 학교 졸업 후 직장생활이라고는 단 하루도 해본 적이 없는 전업주부 중에서도 억대 연봉자가 많다.

내로라하는 좋은 기업은 물론이고 급여와 복지가 열악한 작은 기업조차 눈길 한번 주지 않는 무학자나 저학력자, 장애인, 노인, 전업 주부들이 오로지 자신의 열정과 노력에 의해 생계를 꾸릴 수 있을 뿐만 아니라 풍요와 자유를 누릴 수 있는 사업이 네트워크 마케팅 사업이다.

이런저런 이유와 조건을 내세워서 기업들이 채용도 해주지 않는데, 심지어는 우리 회사 가족이 된 것을 환영한다며 채용을 해놓고도 한창 일할 나이에 내쫓으면서 "네트워크 마케팅은 부도덕한 사업이니 해서는 안 돼!", "네트워크 마케팅을 하는 사람들은 모두 나쁜 사람들이야!"라고 충고하는 것이 얼마나 무례하고, 무책임한 태도인가를 이 분야를 공부하고 경험하면서 알게 되었다. 필자 역시 그런 사람 중 한 명이었기 때문이다.

제대로 공부해본 적도, 경험해본 적도 없으면서, 남을 통해 보고 들은 서당개 풍월로 다른 사람의 소중한 직업을 폄하하고, 비난하는 것이 얼마나 무례하고, 무책임한 일인가를 늦게라도 깨달아서 다행이다. 내가 아닌 남들의 시선과 편견이 두려워 기회인지 아닌지조차 알아볼 용기를 내지 못하는 사람들에게 제대로 된 지식과 정보를 알려주고 싶었다. 올바른 회사, 올바른 사람을 선택한 다음 본인이 올바른 태도로 이 사업에 몰입한다면 진정 차별 없는 풍요와 자유를 획득할 수 있는 사업이라고 말이다.

사실은 이 사업을 하면서 자존심이 상할 때도 많다. 서울에서 꽤 괜찮은 대학과 명문대학원을 나왔고, 이름만 대면 전 세계 사람들이 아는 대형 항공사에서 22년간이나 근무했으며, 다른 사람을 가르치는 강의를 1,000회 이상 했고, 여러 권의 책도 쓴 사람인데 나보다 학력도, 경력도 낮은 그야말로 평범한 사람들이 나보다 훨씬 직급도 높고, 수입도 많기 때문이다. 심지어 그중에는 심각한 장애를 가진 분도 있고, 몸이 불편한 70~80대 어르신도 있다.

배는 좀 아프지만 다른 사람을 배려하는 따뜻한 마음으로 생각해 보면 없어서는 안 될 사업 중 하나다. 타고난 신분적, 신체적 한계 때문에 기댈 곳이 없는 사람들, 어린 마음에 방황하느라 성인이 될 준비를 못 했지만 늦게라도 정신을 차린 사람들, 사고로 얻은 장애 때문에 생계의 위협 속에 사는 사람들, 젊었을 때는 잘나갔지만 나이가 들었다고 사회와 직장에서 퇴출된 노인들이 꿈과 희망을 갖고 죽을 때까지 할 수 있는 일이 네트워크 마케팅 사업이다.

우리가 네트워크 마케팅 사업을 하든 안 하든 여러 가지 이유로 기회 자체가 주어지지 않는 사람들에게 오로지 자신의 노력과 성과만으로 자기 삶, 가족의 삶을 책임질 수 있는 일이 있다는 것은 참 다행스런 일이다.

무정년: 한 가지 일로 죽는 날까지 안정적 소득을 창출할 수 있는

신입사원 시절에는 나에게도 정년이 올 줄은 꿈에도 생각하지 못했다. 워낙 까마득한 세월이 남았다고 생각해 미리 걱정할 필요가 없었기 때문이다. 젊은 시절에는 그 젊음이 영원할 줄 안다.

대학 신입생 시절에는 군대 갔다 온 선배들이 까마득한 어른으로 느껴졌다. 군대를 다녀와 복학생이 되자 갓 직장인이 된 선배들이 그렇게 느껴졌다. 직장인이 되자 차장, 부장님들이 그렇게 느껴졌고, 차장, 부장이 되자 이제는 사장님, 회장님이 그렇게 느껴졌다. 늘 내 나이는 느끼지 못하고 나보다 나이 많은 사람을 비교해서 나는 아직 어리거나, 젊은 것으로 착각하며 살았다. 인간이 그렇게 어리석다. 한 치 앞밖에 볼 줄 모른다.

그런데 어느 날 문득, 까마득했던 그 나이가 내 나이가 되어 있었다. 정년이 다가온 것이다. 퇴직 이후의 삶을 걱정해야 할 나이가 지척에 와 있었다. '아뿔싸!' 하는 순간 이미 늦었다. 이렇듯 많은 사람들이 준비 없이 정년을 맞이한다.

회사는 유기체다. 육체가 생명을 유지하기 위해 약한 세포, 죽은 세포를 교체하는 것처럼 회사도 약한 곳을 교체해야 치열한 경쟁에서 살아남을 수 있다. 그러니 회사원에게 정년은 숙명이다. 부정하고 싶고, 반항하고 싶지만 어쩔 수 없는 일이다. 받아들여야 한다. 내가 회사의 주인이라고 해도 그렇게 할 수밖에 없기 때문이다.

게다가 4차 산업혁명이다 뭐다 해서 세상의 변화 속도가 인간의 변화 속도를 압도하고 있다. 갈수록 젊고, 빠릿빠릿하고, 인터넷과 IT를 장난감처럼 가지고 노는 젊은 세대로 새살 갈이를 서두르는 회사들이 많아지고 있다. 넋을 놓고 있다가는 정년이 아니라 30~40대에도 살벌한 무림으로 가차 없이 내쫓길 수 있는 시대다.

정년이 있다는 의미는 그 이후의 삶을 스스로 책임져야 한다는 의미다. 그런데 이제는 정년조차도 보장받을 수 없는 시대다. 수명은 길어지고 퇴직은 빨라지고 있다. 스스로 책임져야 할 세월이 갈수록 길어지는 것이다.

회사에 근무할 때 했던 일로 퇴직 후에도 먹고살 수 있으면 천만다행이지만 그럴 가능성은 희박하다. 대부분 새로운 일을 시작해야 하는데 배우는 것도 쉽지 않고, 돈과 시간도 많이 든다. 다행히 시작해도 성공보다 실패 확률이 높다. 재취업도 쉽지 않고, 재취업을 해도 60세 언저리면 끝이다. 이후에도 30여 년의 삶이 남았는데 말이다. 죽을 둥 살 둥 열심히 살아도 백척간두 위에서 줄타기를 하는 것처럼 삶이 아슬아슬한 시대다.

다행히 네트워크 마케팅 사업에는 정년이 없다. 그래서 정년을 준비하기 위해 흘렸던 수많은 땀과 눈물, 회사를 그만두고 나와서 겪어야 했던 고생과 실패와 좌절을 겪을 일이 없다. 퇴직자들이 흔히 겪는, 죽어라 고생하고도 퇴직금을 다 날리고, 형제자매를 넘어 사돈네 팔촌 재산까지 건드릴 일이 없다.

네트워크 마케팅 회사는 80~90세가 되어도 그만두라 하지 않는다. 자른다는 개념 자체가 없다. 고용관계가 아니고 파트너관계이기 때문이다. 네트워크 마케팅을 통해 내가 가꾼 사업권은 법적으로 영구히 내 소유다. 죽을 때까지 사업을 지속하다 심지어 죽을 때 내 아들, 딸에게 상속도 시켜줄 수 있다.

'상속이 가능하다'는 것은 '정년이 없다'라는 명백한 증거다. 일반 기업의 소유주가 죽을 때까지 회사를 경영하다가 자손에게 물려주는 것처럼 네트워크 마케팅 사업자는 1인기업 소유주로서 죽을 때까지 네트워크 마케팅 사업을 하다 사업권을 자손에게 물려줄 수 있다. 평범한 사람이 정년 없는 기업의 오너가 될 수 있는 사업이다.

필자 역시 취업해서 20년 넘게 치열하고 경쟁적인 직장인의 삶도 겪어보았다. 쉰 즈음에 스스로 퇴직해서 창업, 취업, 프리랜서를 전전하며 치열한 제2의 삶도 겪어보았다. 그것도 작가나 강사에게는 사형선고와 같은 코로나 시대를 거치면서 말이다. 직접 경험을 해보니 정년을 걱정할 필요가 없다는 것은 말로 표현할 수 없을 정도로 엄청난 축복이다.

정년이 없다는 것은 수십 년 동안 죽어라 쌓아온 지식과 경험이 정년과 함께 쓰레기가 되는 일이 없다는 의미다. 죽을 때까지 쌓여가는 지식과 경험을 계속해서 재활용할 수 있기 때문이다. 즉, 정년 이후 중장년, 노년의 나이가 되어서까지 끊임없이 새로운 분야를 찾고, 공부하고, 수많은 시간과 비용과 자원을 새롭게 쏟아부을 필요가 없다는 의미다.

정년이 없다는 것은 퇴직금을 긁어모아 급하게, 낯선 분야에 투자했다가 고생은 고생대로 하고 망할 일이 없다는 것을 의미한다. 나로 인해 내 가족이 붕괴되고, 형제자매가 붕괴되고, 사돈네 팔촌이 붕괴될 위험이 없다는 것을 의미한다. 무엇보다 중요한 사실은, 젊었을 때는 제법 잘나가던 내가 퇴직 후의 사업 실패로 처절하게 외롭고, 칠흑같이 어두운 노년을 보낼 위험이 없다는 것을 의미한다.

그뿐만이 아니다. 대다수가 정년 이후 '라떼는 말이야'를 외치며 과거의 추억만 야금거리며 쓸쓸하고 우울한 노후를 보내고 있을 때 네트워크 마케팅은 젊을 때 못지않은 생동감을 불어넣어주는 사업이다. 필자의 동료 사업자 중에 교감으로 정년퇴직하신 L 선생님이 딱 그런 분이다.

남편은 국내 굴지의 철강회사 대표이사를 역임하였다. 명예도, 재정도 넘치는 삶을 살아온 분이다. 선생님은 퇴직 후에는 아무 일도 하지 않고 실컷 놀기만 할 것이라고 작심하였다. 그래서 퇴직 후 3년

여간 정말 원 없이 놀았다고 한다. 하지만 정말 '놀기만' 하는 일상이 행복하지만은 않더라는 것이다. 허탈해지고, 허무해지는 감정은 불현듯 찾아왔다. 3년은 몰라도 남아 있는 30년을 아무런 자극도, 성취감도 없이 사는 것은 늙어가는 자신의 몸에도, 뇌에도, 마음에도 도움보다는 해가 된다는 것을 깨달았다. 몸도, 뇌도, 마음도 쓰지 않으면 퇴화 속도, 노화 속도가 빨라지기 마련이다.

그래서 선생님은 300만 원이 넘는 연금을 기꺼이 포기하고 네트워크 마케팅 사업을 시작하였다. 그것도 아주 즐겁게 말이다. 그런 기운이 사업에 스며서일까, 성과가 좋아서 함께 유럽 여행도 다녀왔다. 요즘은 대표이사를 역임했던 남편이 아내인 선생님께 '대표님, 대표님!' 하며 아낌없이 응원도 해준단다. 할 일 없이 놀기만 하는 삶보다 무엇인가에 몰입해서 열정적으로 사는 모습이 훨씬 아름답기 때문이다. '먹고 놀자!'에 빠져 있는 젊은이보다 사랑하는 일에 빠져 있는 노인이 훨씬 아름답다. 진정한 청춘은 육체의 모습이 아니라 영혼의 모습이다.

교감으로 퇴직한 초로의 부인이 월 천만 원 이상의 급여를 받으며, 젊은 사업자들과 함께 일하고, 함께 여행하며 젊은이 못지않게 건강하고, 역동적인 삶을 가꾸고 있다. 네트워크 마케팅에는 정년이 없다는 것을 보여주는 산 증인이다.

네트워크 마케팅은 죽을 때까지 할 수 있는 사업이기 때문에 한번 시작해서 어느 정도 궤도에만 오르면 죽을 때까지 새로운 분야를 찾아 방황할 일이 없다. 이 분야 저 분야 넘나들며 힘들고 기약도 없는 낯선 공부와 위험한 투자를 반복할 필요도 없다.

게다가 창업 자본이나 점포, 인력, 시설, 장비 등이 전혀 필요 없는 사업이기 때문에 퇴직금을 건드릴 필요도 없다. 형제자매, 사돈네 팔촌의 돈을 빌릴 필요도 없다. 내게 필요한 생필품, 영양제 등을 내가 하는 네트워크 마케팅 회사 상품으로 브랜드를 체인지해서 소비하는 것이 사업의 시작이기 때문에 '자본'이라고 칭할 만한 목돈이 필요 없기 때문이다.

심지어 80~90세 노인이 되어서도 매월 수입이 수백, 수천, 수억 원에도 다다를 수 있기에 자식들 눈치 보며 용돈을 타서 쓰는 것이 아니라 오히려 자식들과 손주들에게 용돈을 주며 죽을 때까지 멋지고, 존엄한 어른으로 살 수 있다. 혹시라도 병에 걸려 자식들에게 짐이 되고, 천덕꾸러기가 되는 것이 아니라 인세소득, 연금소득 같은 네트워크 마케팅 소득으로 치료하고 요양할 수 있다. 자식들과 손자들에게 아낌없이 베풀면서 죽을 때까지 쩌렁쩌렁한 어른으로 살다 갈 수 있는 사업이 네트워크 마케팅 사업이다.

무보고: 산더미 같은 보고서의 늪에서 탈출시켜주는

"이야! 이거 기발한 아이디언데!
그래 한번 해보자! 그런데 너도 우리 회장님 독특하신 거 잘 알지? 그러니 좀 더 보안해보자!"

회사를 다닐 때 아시아나항공의 서비스 경쟁력을 활용한 서비스 아카데미 사업계획서를 부사장님께 보고한 적이 있다. 일명 트리플 A(AAA, Asiana Aviation Academy) 사업계획서였다. 누가 시킨 것도 아니었다. 회사 수입에 도움이 될 듯해서 스스로 아이디어를 발굴하고, 승무원 학과와 사설 승무원 학원을 돌며 시장 조사를 해서 쓴 기획서였다. 항공사가 우후죽순 생기다 보니 항공권으로 돈을 버는 시대는 끝났다고 생각했기 때문이다.

대한항공 독점 시대 때는 항공업에 서비스라는 개념이 없었다. 승

객들에게 선택지가 없었기 때문에 굳이 비용과 자원이 많이 소요되는 고급 서비스를 해주지 않아도 되었다. 88올림픽에 즈음하여 설립된 제2민항 아시아나항공이 거대 독점 항공사와 경쟁하기 위해 선택한 것이 '서비스'였다. 한때나마 아시아나항공이 세계 최고 항공사로 이름을 날릴 수 있었던 이유다.

회사에 도움이 되는 방법에 대해 고심하던 중, '서비스'하면 항공사를 최고로 인정하기 때문에 아시아나항공 브랜드를 기반으로 서비스 아카데미를 잘 운영하면 서비스 교육 시장을 장악할 수 있을 것이라는 확신이 들었다. 어설프게 흉내낸 학교(전국에 약 100여 개의 승무원 학과 존재)나 사설 학원이 아니라 실제 승무원들이 교육 훈련을 하는 항공사 훈련 시설에서, 실제 승무원들을 교육하는 교관들이 교육을 한다면, 그리고 클래스당 우수 학생 2~3명을 승무원으로 특채해준다면 수강생이 물밀 듯이 몰려올 것은 불을 보듯 빤했기 때문이다. 그야말로 수익 극대화와 우수 인재 발굴이라는 두 마리 토끼를 잡을 수 있는 아이디어라고 생각했다.

창의적 아이디어는 실행은 간단하고, 수익은 탁월한 아이디어를 말한다. 필자의 아이디어가 그랬나 보다. 기획서를 본 부사장님의 얼굴에 화색이 돌았다. 기발한 아이디어라고 극찬을 해주니 그때까지는 기분이 참 좋았다. 문제는 그다음부터였다.

부사장님은 '무엇에 중점을 두고 수정해봐라!'라던가, '어디, 어디가 부족하니 보완해봐라!'라던가 하는 자기 생각, 자기 기준이 없었다. 어쩌다 자기 마음에 들 때까지 주야장천 수정해보라는 심산 같았다. 이렇게도 고쳐보고, 저렇게도 고쳐보고 그야말로 무한 반복, 무한 보고의 수렁에 빠져들고 말았다. 내 발등을 내가 찍은 것이다.

법인을 설립하자는 것도 아니고, 수억 원이 들어가는 대형 프로젝트도 아니었다. 인재개발팀 산하에 작은 실행조직을 만들어 시범 운영 후 가능성이 확인되면 그때 서비스 교육 법인을 설립하자는 것이었다. 승무원 학과와 승무원 학원을 돌며 시장 조사를 해보니 수요도 확실히 있었다. 교관과 교육 시설도 여유가 있었다. 조금만 개방적이고, 도전적인 회사라면 어렵지 않게 시도해볼 수 있는 일이었다.

그런데 서류만 가지고 몇 달 동안 20회 가까이 수정 보고를 반복했다. 급기야 '왜 시키지도 않는 일을 해서 이 개고생을 하고 있지?'라는 생각이 들었다. 더 어이없는 것은 그러다 말았다는 것이다. 몇 달간 보고의 늪에서 허우적거리고 있을 때 인사발령으로 부사장이 바뀌었기 때문이다. 허탈하고 허무했다.

사실 대기업의 부사장 정도라면 얼마든지 실행 여부를 결정해도 되는 사안이었다. 실험 단계 정도의 시도이기 때문에 그룹 회장님에게 보고하기에는 너무 작은 사안이었기 때문이다. 그런데 부사장님은 그 아이디어로 회장님께 인정을 받고 싶었던 모양이다. 제사보다 잿밥에 욕심이 많았던 것이다.

하지만 그룹 회장님이 워낙 독특하고, 독선적인 분이다 보니 자칫 인정이 아닌 지적을 받을까 봐 수정시키고, 수정시키고, 또 수정시키다 제풀에 지쳤거나 흥미가 사라진 듯했다.

회사 업무는 보고의 연속이다. 구두보고와 서면보고가 끝없이 이어진다. 새로운 업무를 시작한다고 보고하고, 실행하는 중간중간 보고하고, 완료했다고 보고해야 한다. 일거수일투족 시도 때도 없이 사전보고, 중간보고, 사후보고를 하면서 하루하루를 사는 것이 회사원의 일상이다.

중간 관리자에게 하는 보고는 그래도 할 만하다. 임원이나 사장님께 하는 보고, 외부 행사나 제안을 위한 발표 등을 준비할 때는 짧게는 며칠에서 길게는 몇 달간 매달려야 한다. 게다가 대부분 그것으로 끝나는 것이 아니다. 중요도, 긴급도 등에 따라 보완보고, 경과보고, 결과보고 등이 꼬리에 꼬리를 문다. 심한 경우 보고나 발표 내용이 허술하다, 부족하다 해서 심한 질책을 받고 수정보고, 개선보고를 끝없이 해야 하는 경우도 있다.

무능하거나 부도덕한 상사들이 부하를 괴롭히고 길들이는 최고의 방법 중 하나가 보고 트집잡기다. 업무를 부당하게 분배하거나 인사평가를 불공정하게 하는 것은 고통이 크긴 하지만 빈번하게 발생하지는 않는다. 사실은 매일 수시로 송곳처럼 찔러대는 공개적인 지적질과 보고 과정에서 생트집 잡기가 훨씬 힘들고 괴로운 일이다.

보고할 때마다 여기가 틀렸다, 저기가 틀렸다, 태도가 불량하다, 오자가 있다 등으로 트집을 잡기 시작하면 한도 끝도 없다. 사무실이 생지옥이 된다. 직장 내에서 정치와 아부가 판을 치는 이유도 그것을 하지 않으면 시도 때도 없이 트집을 잡아 괴롭히는 상사의 심리적 폭력이 무섭고 두렵기 때문이다.

수많은 회사에서의 일상이다. 마땅한 일로 보고를 반복하는 경우도 있지만 엉뚱한 일로 보고를 반복해야 하는 경우도 무수하다. 나와 다른 상사의 기준, 생각, 관점 때문에 끊임없이 지적당하고, 수정을 반복해야 하는 경우도 부지기수다. 보고가 업무의 시작이자, 과정이자, 끝이다.

네트워크 마케팅 사업의 가장 좋은 점 중 하나가 보고가 없다는 것이다. 회사 다닐 때는 하루에도 몇 번씩 구두보고, 서면보고를 하는 것이 일상이었는데 그런 보고가 1년 내내 단 한 건도 없다. 몇십 년간 매일 보고의 수렁 속에서 살았던 사람은 보고의 부담이 전혀 없다는 사실이 좋아도 너무 좋았다.

스폰서가 상사가 아니기 때문이기도 하고, 네트워크 마케팅 사업이라는 것 자체가 철저한 1인기업 사업모델이기 때문이다. 네트워크 마케팅 사업자들은 네트워크 마케팅 회사와 일대일로 유통대행 계약을 맺고, 자신이 일으킨 소비에 대해 정해진 기준에 의해 수당을 받는 1인기업가다. 내가 뭐를 하겠다고 회사나 스폰서에게 보고할 필요가 없다.

물론 회사나 스폰서로부터 어떻게 해야 사업을 잘할 수 있다고 지침도 받고, 안내도 받지만 그것을 할지 말지, 한다면 언제, 어디서, 누구와 무엇을, 어떻게 할지는 1인기업가인 내가 선택하고, 내가 책임지면 된다. 만일 스폰서에게 나의 계획과 실행과 결과를 알린다고 하더라도 그것은 보고가 아니라 공유일 뿐이다.

회사에서 무슨 일인가를 시작하기 위해서는 시장조사를 하고, 필요한 자원과 비용을 산출하고, 계획을 수립해서, 상사에게 보고하고,

실행 과정 중간중간에 경과를 보고하고, 일이 끝나면 비용은 얼마를 썼고, 어떤 내용을 어떻게 실행했으며, 회사에는 어떤 효과를 주었고, 추후 어떻게 사후관리를 할지 등등 수많은 보고가 일의 전부라 해도 과언이 아니다.

하지만 네트워크 마케팅 사업에서는 보고를 하지 않아도 된다. 자신의 성공을 위해 스스로 만날 사람을 물색해서, 소비자 또는 사업자로 설득하고, 사후관리하는 일만 반복하면 되기 때문이다.

Netsuccess Tip 2

네트워크 마케팅 성공 삼위일체론: 회사, 동료, 자신

(삼위일체: 3가지의 것이 하나의 목적을 위해 통합되는 일)

네트워크 마케팅의 성공을 위해서는 반드시 회사, 동료, 자신이 성공을 위해 한 방향으로 통합되어야 한다. 올바른 네트워크 마케팅 회사(3장 후미의 Tip3 참조)를 선별하고, 올바른 동료(4장 후미의 Tip4 참조)를 선별해서, 내가 올바르게 사업을 한다면(5장 후미의 Tip5 참조) 많은 사람들의 이해와 신뢰와 참여를 통해 조직과 매출은 자연스럽게 늘게 된다.

좋은 회사와 좋은 동료 사업자들, 그리고 내가 좋은 사업자로 활동을 한다면 높은 편견의 장벽을 넘어갈 수 있는 계단이 되어 남의 시선과 평가 때문에 주저하고 두려워하는 사람들을 네트워크 마케팅 세상으로 초대할 수 있기 때문이다.

편견의 장벽
올바른 자신
올바른 통로
올바른 회사
자유의 기회
부자의 기회
건강의 기회

제3장

5자: 존엄한 인간이 될 수 있는 자유

잠자는 동안에도 돈이 들어오는 방법을 찾아내지 못한다면
당신은 죽을 때까지 일을 해야만 할 것이다.

- 워렌 버핏 (세계 유명 투자가이자 '버크셔 해서웨이' CEO)

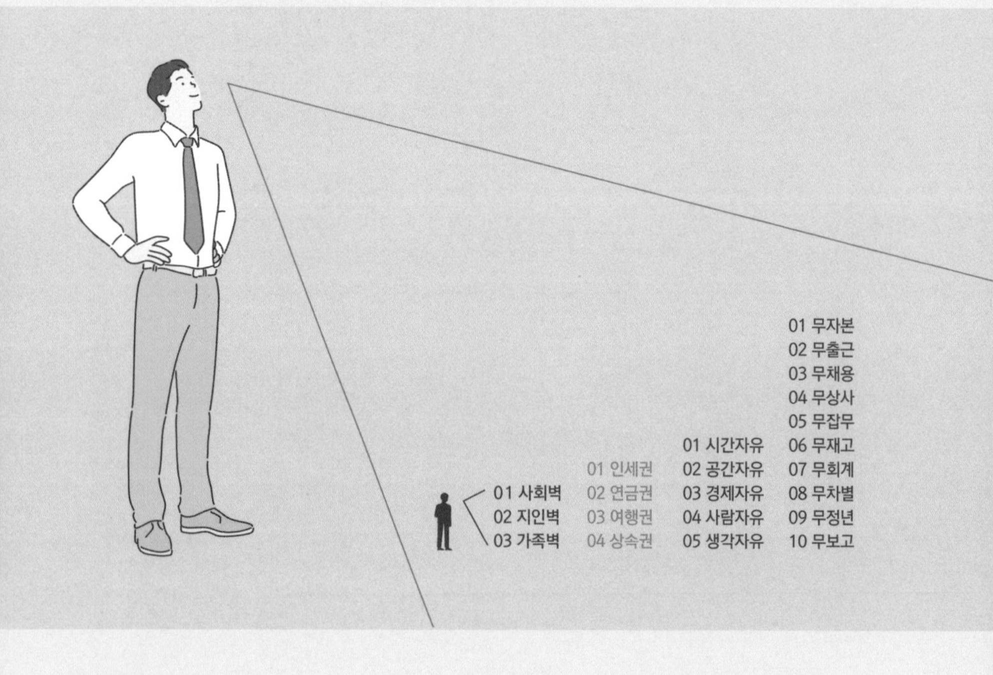
01 무자본
02 무출근
03 무채용
04 무상사
05 무잡무
01 시간자유
06 무재고
01 인세권
02 공간자유
07 무회계
01 사회벽
02 연금권
03 경제자유
08 무차별
02 지인벽
03 여행권
04 사람자유
09 무정년
03 가족벽
04 상속권
05 생각자유
10 무보고

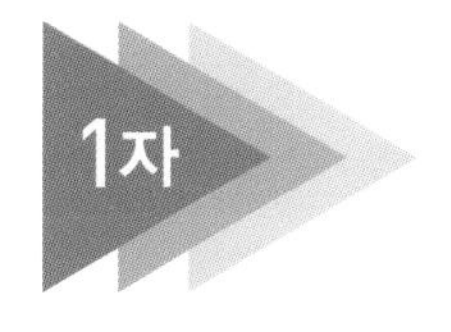

시간의 자유: 내 삶, 내 시간을 스스로 통제할 수 있는

'회사를 다닌다'고 하면 기본적으로 출근과 퇴근을 전제로 한다. 글로벌 IT 기업 중 일부 또는 코로나가 기승을 부릴 때는 그 영향으로 많은 회사가 자율근무나 재택근무를 시행했지만 그럼에도 회사를 다니는 사람이면 회사에 의해 시간의 통제와 제약을 받기 마련이다.

그 시간 중에는 내가 맡은 업무를 위한 시간도 있지만, 내 업무와 전혀 관계없이 사용되는 시간도 많다. 앞에서도 이야기했듯 여러 사람이 함께 조직생활을 하다 보면 필연적으로 공통업무, 협력업무가 발생하기 때문이다. 회사생활을 해본 사람은 얼마나 많은 내 시간이 공통업무, 협력업무 등을 위해 사용되는지 잘 알고 있을 것이다. 심지어 상사의 고집이나 회의 또는 행사 담당자의 오판 때문에 내 업무와 전혀 상관없는 회의나 행사에 참석해야 하는 경우도 많다.

판단력이 부족하거나, 이기적이거나, 정치적 성향이 강한 상사를 만나면 내 시간이 거의 통제 불능 상태가 되기도 한다. 공사 구분이 없는 것은 물론이고, 업무시간뿐만 아니라 저녁 시간, 심지어는 주말에도 상사의 개인적인 뒤치다꺼리나 정치적 활동의 보조요원으로 동원되는 경우도 있다.

'꼰대'라는 표현에 중장년들이 움츠러드는 시대이긴 하지만 그럼에도 회사에는 아직 유교적 분위기와 문화가 남아 있다. 일제시대의 잔재인 군대 문화도 남아 있다. 심심치 않게 뉴스거리가 되는 직장 내 갑질 문제가 그것을 증명해주고 있다.

우리나라만의 문제는 아니다. 심지어 미국, 일본과 같은 선진국에서도 직장 내 갑질 문제는 여전하다. 우리와 비교했을 때 갑질의 형태와 빈도 등이 다를 뿐이다. 생계와 생존을 좌우하는 서열과 권력, 정치 등이 존재하는 조직에서 갑질 문제는 당연한 현상이라고 할 수 있다.

그러나 보니 내 소중한 시간이 정말 한심하게 낭비될 때가 많다. 내 의지와는 전혀 무관하게, 심지어는 부당하고, 부도덕하고, 비합리적으로 내 시간이 침해당하는 경우가 많다. 그럼에도 내 시간을 통제하고, 오용하고, 도용하는 그 상사 앞에서는 전혀 불만이 없다는 듯 처신해야 하고, 심지어는 미소 짓고 아부까지 해야 하는 것이 직장인의 애환이다.

권력이 존재하면 정신적, 시간적인 침해는 일어나기 마련이다. 내 업무에 대한 지시권, 내 성과에 대한 평가권, 내 경력에 대한 인사권은 막강한 권력이다. 나와 내 가족의 운명 심지어는 생사를 가를 수 도 있는 권력이기 때문이다.

멀리 있는 법보다 가까이 있는 주먹이 무섭다는 것이 딱 이 경우다. 나라에도 법이 있고, 회사에도 법이 있다. 하지만 나라도, 회사도 국민과 직원 한 명, 한 명이 필요로 할 때마다 적절한 법을 적용시켜 줄 수는 없다.

법은 책 속에서 글씨로 잠자고 있고, 상사의 권력은 현실 속에서 매일 나를 주시하고 있다. 법은 성공에 대한 욕망도 없고, 불합리한 이기심도 없고, 생존에 대한 두려움도 없는 무생물이다. 반면 상사는 성공에 대한 욕망도 있고, 불합리한 이기심도 있고, 생존에 대한 두려움도 있는 생물체다. 자신의 성공과 편리, 자기 가족의 부귀와 영화를 위해 부하를 활용하고, 이용하고, 심지어 의도적으로 짓밟기도 한다. 지시권, 평가권, 인사권이라는 막강한 권력을 가지고 1년 365일 특정 공간에서 함께 생활하면서 성과라는 명목으로 부하의 시간을 간섭하고, 자신의 부귀와 영화를 위해 부하의 시간을 도용하기도 한다.

그러나 네트워크 마케팅 사업자 간에는 권력도 없고, 서열도 없고, 정치도 없다. 나와 파트너 관계인 네트워크 마케팅 회사 역시 나와 갑을 관계가 아니다. 그래서 네트워크 마케팅 사업을 함께하는 누군가가 내 시간을 침해하거나 통제할 수 없다.

일반적인 회사는 다양한 규정과 절차를 제정해서 나의 출근시간, 퇴근시간, 업무시간을 통제한다. 회사를 등에 업은 상사들까지 가세

해서 때로는 회사의 규정에 따라, 때로는 상사 자신의 판단과 필요에 따라 내 시간을 통제한다. 하지만, 네트워크 마케팅 회사는 사업자들에게 출퇴근을 요구하지도, 업무시간을 규정하지도 않는다. 회사를 등에 업고 내 시간을 관리하고 통제하는 상사도 없다.

출퇴근도 필요 없고, 업무는 내가 원하는 시간에 하면 된다. 공통 업무도 없다. 다른 팀이나 다른 직원과의 협력을 위해 시도 때도 없이 소집되는 회의에 참석할 필요도 없고, 주간보고, 월간보고, 연간보고를 위해 보고서를 작성할 필요도 없으며, 그와 같은 보고를 위한 회의에 정기적으로 참석할 필요도 없다. 상사를 위해 좋아하지도 않는 술자리나 노래방을 전전할 필요도 없고, 하루 종일 상전을 모시고 산행이나 골프를 할 필요도 없다.

회사생활 중의 상당 시간이 내 업무 이외의 일에 쓰인다. 필자 역시 20년 이상 대기업 생활을 해보았는데 내 의지와 판단은 중요하지 않았다. 회사와 상사의 계획과 판단에 따라 나는 그저 쓰임을 당하는 존재일 뿐이다. 그것이 급여를 주는 이유이기 때문이다.

내 시간이 내 생각이나 판단, 필요에 의해 쓰이는 것이 아니라 다른 사람의 생각이나 판단, 필요에 의해 쓰인다는 것은 정신적으로 굉장히 큰 스트레스다. 특히 정말 불필요하거나 해서는 안 될 일이라는 것이 빤히 느껴지는데도 상사의 지시 때문에 어쩔 수 없이 해야 할 때는 정말 사는 것도 싫어지고, 그렇게 살아야 하는 자신이 한없이 한심하게 느껴진다.

성인이 되었음에도 내 시간을 내 생각대로 쓸 수 없다는 것, 심지어 해서는 안 될 일에 내 소중한 시간이 낭비될 때는 정말 마음이 아프고 화가 치민다. 더욱 큰 문제는 직장생활 중의 많은 내 시간이 누군가에 의해 의미 없게 또는 부당하게, 때로는 부도덕하게 이용되고, 도용돼도 속수무책 당해야 한다는 것이다. 앞 장에서도 이야기했던 것처럼 상사라는 무소불위의 존재와 조직생활에서 피할 수 없는 다양한 잡무 등이 어우러져 직장인은 시간의 자유를 절대 누릴 수 없는 직업이다.

하지만 네트워크 마케팅 사업은 완전한 1인기업 사업모델이다. 모든 의사결정은 내가 하기 때문에 내 시간에 대한 완전한 통제권을 가진 1인기업 오너가 네트워크 마케팅 사업자다. 내 삶, 내 시간을 100%로 내가 통제할 수 있는 시간의 자유가 있다. 존엄한 인간으로서 가장 중요한 자유인 '내 시간에 대한 자유'를 오롯이 가지고 살 수 있는 삶이 네트워크 마케팅 사업자의 삶이다.

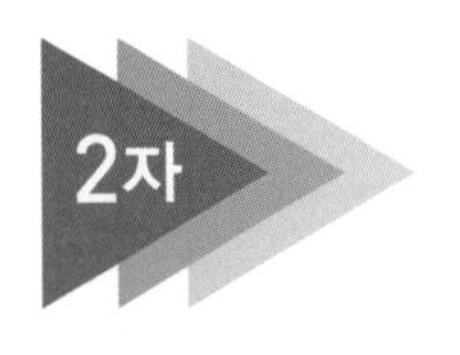

공간의 자유:
내가 원하는 장소에서
일할 수 있는

회사생활을 할 때 종종 사무실이 마치 '내가 선택한 감옥' 같다는 생각을 많이 했다. 아침에 감옥으로 들어갔다가 저녁에 감옥에서 나오는 생활을 20년 넘게 한 것이다. 누가 강요한 것도 아니고, 모든 사람이 그렇게 하는 것도 아닌데 나는 스스로 그 감옥 속으로 들어갔다. 많은 친구들이 그리하기에 그 길이 최고의 길, 최선의 길인 줄 알았다. 학교 다닐 때는 교실 감옥에서 살았고, 회사 다닐 때는 사무실 감옥에서 살았다.

하버드 보건대학원에서 현대인의 건강을 위해 섭취해야 할 음식의 우선순위를 연구해서 발표한 적이 있다. 미국 교과서에도 실리고 논문이나 책, 강의 등에서도 자주 인용되는 연구다. 그 내용 중에 현대인의 현실을 극명하게 보여주는 한 대목이 있다. 건강을 위해 피해야 할 음식과 먹어야 할 음식을 제대로 가려서 먹어야 하지만 그것만으로는 부족하단다. 그중 비타민D는 반드시 추가로 섭취해야 한다는 것이다.

그 결과를 보고 '현대인들은 창밖에 공짜로, 넘치도록 쏟아지고 있는 햇볕을 버리고, 스스로 건물 속 음지, 내가 선택한 감옥 속에 들어가 살고 있구나!'라는 생각이 들었다. 햇볕만 충분히 받으면 비타민D는 거저 얻을 수 있는데 우리 삶은 자연이 주는 선물마저 거부하고 있는 것이다. 어쩌다 햇볕 아래로 나갈 때도 선크림을 발라 겉으로 드러나는 외피만 예쁘게 치장하려 하고, 내 몸이 필요로 하는 비타민D는 철통방어하고 있으니 말이다.

대다수의 현대인들에게는 공간의 자유가 없다. 회사가 요구하는 업무를 완수할 때까지 회사가 정한 공간에서 죽어라 일을 해야 한다. 정해진 시간에 정해진 공간으로 출근해서, 정해진 시간에 퇴근할 때까지 그 공간에 존재해야 한다. 해가 뜨기 전에 건물 속으로 들어갔다가, 해가 지고 나서 건물 밖으로 나온다.

간간이 '꼭 이렇게 살아야 하나?', '저 쏟아지는 태양을 즐기고 싶어!'라는 생각을 하지 않는 것은 아니지만 주변을 둘러보고 체념하곤 한다. 떠나고 싶어도 마음대로 떠날 수 없다면 스스로 체념해야 살 수 있기 때문이다. 햇볕 속으로 마음대로 떠날 수 있는 날은 공휴일과 1년 중 10~20일간의 휴가 때뿐이다.

심지어는 짧게는 몇 개월, 길게는 몇 년간 숨 막히는 공간에 머물러야 할 때도 많다. 사이코 상사, 이기적 동료, 안하무인 후배라도 한 명 있으면 그 공간의 하루는 365일이 지옥이다. 그런 상사에게 지시

받고, 평가를 받아야 하며, 그런 동료, 후배와 회의하고, 일을 나누고, 협력하고, 경쟁하고, 정치 싸움을 해야 하니 말이다.

어떤 사람은 한 공간에 있는 상사나 동료 때문에 공황장애를 앓기도 하고, 사표도 내고, 자살을 하는 경우도 있다. 공간은 인간의 행복에 엄청난 영향력을 지니고 있다. 그렇게 중요한 공간을 내가 선택할 수 없다는 것이 회사원들이 느끼는 불편과 불행의 씨앗 중 하나다.

그러나 네트워크 마케팅 회사는 회원들에게 특정 공간을 요구하지 않는다. 요구할 권한도 없다. 요구할 필요도 없다. 회사의 마케팅 활성화를 위해 회원들이 모이고, 교육하고, 나눌 수 있는 공간을 제공하는 회사들도 있지만 그 공간을 사용할지 말지는 순전히 회원의 선택에 달렸다. 사실 네트워크 마케팅 회사 입장에서는 회사의 비용으로 공간을 지원해주지 않았는데도 회원들이 스스로 공간을 마련해서, 스스로 성과를 내는 것이 가장 원하는 일이다.

네트워크 마케팅 회사가 바라는 것은 오로지 '성과'다. 어떤 시간에, 어떤 공간에서, 어떤 사람에게, 어떻게 사업을 펼칠 것인가에 대해서는 회사가 간여하지 않는다. 네트워크 마케팅 사업자들이 어떤 시간에, 어떤 공간에서, 어떤 사람과, 어떻게 일을 하든지 오로지 성과만 내면 된다.

네트워크 마케팅 사업자들은 정말 다양한 공간에서 일을 한다. 어떤 사람은 본인의 집이 편하다고 집으로 초대해서 차를 마시며 사업을 펼치는 사람이 있는가 하면, 교외의 한적한 카페에서 소풍하듯 사업을 펼치는 사람도 있다. 상대방의 사무실에 가서 사업을 소개하는 사람도 있고, 내가 편한 장소로 상대방을 초대해서 사업을 소개하는 사람도 있다. 요즘은 집에 앉아서 화상으로 다른 지역 또는 해외에 있는 사람을 상대로 사업을 하는 사람도 많다. 그것도 싫다면 집에 앉아서 온라인으로, 지인이 아닌 온라인 사람들을 대상으로 네트워크 마케팅 사업을 펼쳐도 좋다. 그 모든 공간은 내가 선택한다.

시간도 내가 선택하고, 공간도 내가 선택하고, 사람도 내가 선택한다. 물론 사람을 상대로 하는 일이라 상대방이 원하는 공간을 배려할 때도 있지만 공간을 까다롭게 강요하는 사람도 많지 않을뿐더러, 그런다 하더라도 그 공간은 잠시 스쳐가는 공간일 뿐이다. 회사처럼 하루 종일 그것도 몇 개월, 몇 년간 무조건 그 공간에 존재해야 하는 것과는 차원이 다르다. 상대방이 좀 까다로워서 이해할 수 없는 공간, 이상한 공간으로 와줄 것을 요청하면 그 사람과는 사업을 하지 않으면 된다.

회사생활이든 아르바이트든 오래 해본 사람이라면 이 차이를 금방 느낄 수 있을 것이다. '다른 사람들도 모두 그렇게 사는데, 뭘!'이라고 자위하고 체념할 것이 아니라 '그들은 그들이고 나는 나!'라는 생각으로 내 공간의 자유에 욕심을 내보자.

네트워크 마케팅 사업은 공간의 자유가 보장되는 몇 안 되는 사업 중 하나다. 더더구나 비대면 세상이 열린 지금은 전 세계 모든 사람을 대상으로 내 방에서, 카페에서, 해변에서, 해외에서도 펼칠 수 있는 사업이 네트워크 마케팅 사업이다. 그야말로 시공간을 초월한 네트워크 마케팅의 전성시대가 도래하고 있다.

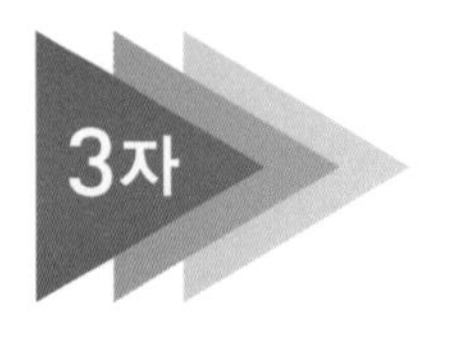

경제의 자유:
평범한 사람도 경제적 자유를 누릴 수 있는

사람들은 다양한 꿈을 꾸지만 그 모든 꿈을 한 단어로 표현하면 '경제의 자유'라고 해도 과언이 아닐 것이다. 경제의 자유가 생기면 모든 자유가 생기기 때문이다. 가지고 싶은 것을 가질 수 있고, 가보고 싶은 곳을 갈 수 있다. 쉬고 싶을 때 쉴 수 있고, 놀고 싶을 때 놀 수 있다. 만나기 싫은 사람은 안 만나도 되고, 하고 싶지 않은 일은 안 해도 된다. 지금 나열한 것들을 모두 직접 선택하고 실행할 수 있다면 인간으로서 진정한 자유를 가졌다고 할 수 있다. 그 기반은 경제의 자유에서 비롯된다.

하지만 대다수의 사람들에게 경제의 자유는 그림의 떡이다. 누구나 경제의 자유를 꿈꾸며 열심히 살아가지만 부모님이 많은 유산을 물려주셨거나, 스스로 크게 성공한 극소수의 사람들을 제외하고는 대부분 평생 경제적 부자유 속에서 근근이 살아간다.

회사는 딱 먹고살 만큼만 준다. 많은 연구에 따르면 돈을 많이 준다고 직원들의 성과가 계속 높아지지는 않는다고 한다. 급여가 직원들의 만족도에 큰 영향을 주기는 한다. 너무 적으면 외부 인재들이 들어오지 않고, 내부 인재들은 좋은 곳을 찾아 떠난다. 하지만 많이 준다고 직원들이 계속 고마워하고, 일에 더 집중하는 것도 아니다. 어느 순간부터는 더 많이 받는 것을 당연한 것으로 받아들이기 때문이다.

급여를 계속 올려줄 수 있는 기업도 많지 않다. 갈수록 경쟁이 치열해지고 변화 속도가 빨라지고 있기에 직원들이 경제적 자유를 느낄 정도로 많은 돈을 줄 수 있는 기업은 드물다. 직원들이 '풍요롭다', '경제적 자유를 누릴 수 있을 만큼 충분하다'라고 느낄 정도로 돈을 많이 주었다가는 기업의 생존이 위험해지기 때문이다.

마지막으로, 경제적 자유를 느낄 정도로 많은 돈이 생기면 게으른 자유를 추구하는 인간의 본능상 회사에 남을 직원이 없다. 이른 아침에 출근해서, 불편한 상사와 바쁜 일에 치여 하루 종일 시달리다, 해가 떨어지고 나서야 터벅터벅 퇴근하는 직장생활을 하고 싶어서 하는 사람은 많지 않기 때문이다.

그러나 네트워크 마케팅 회사의 채용, 평가, 보상 절차는 일반 회사와 전혀 다르다. 일반 회사들은 채용에서부터 장벽이 높다. 대졸 이상, 몇 살 이하 등 학력과 나이에 제한을 많이 둔다. 업종에 따라서는 성별 제약을 두는 곳도 있다. 외국어 점수도 많은 회사에서 지원 조건으로 요구하고 있다.

평가는 대부분 직속 상사가 한다. 상사의 평가에 따라 내 직급과 급여가 결정된다. 하지만 인사평가를 잘 받았다고 해서 직급이나 급여가 갑자기 대폭 올라가지도 않는다. 직급은 몇 년 만에 한 직급씩, 급여는 1년에 몇십만 원에서 몇백만 원 정도 올라가는 것이 보통이다. 앞에서 언급했던 것처럼 돈을 많이 준다고 직원의 성과가 정비례하지도 않고, 그렇게 많은 돈을 줄 수 있는 회사도 많지 않고, 너무 많은 돈을 주면 오히려 퇴사할 수도 있기 때문이다.

반면 네트워크 마케팅 회사는 채용을 하지 않는다. 회원으로 가입만 받는다. 직원이 아니고 회원이기 때문에 나에 대한 인사평가가 있을 리도 없고, 그 인사평가 때문에 내 직급과 급여가 결정되는 일도 없다. 네트워크 마케팅 회사는 인사평가를 기준으로 직급과 급여를 결정하는 것이 아니라 회원 본인이 일으킨 매출과 회원 유치 수준에 따라 정해진 비율대로 수당을 지급한다.

때문에 내 직급과 수당이 다른 사람의 평가에 영향을 받지 않고 오로지 내 노력과 성과에 의해 결정된다. 뿐만 아니라 수당의 액수에 거의 제한이 없다. 회원에게서 비롯되는 매출이 성장하면 성장한 만큼 거의 무한대로 수당이 올라가는 것이 네트워크 마케팅 회사의 수당 체계다. 그래서 네트워크 마케팅 회사마다 몇억 원에서 몇십억 원에 해당하는 연봉을 받는 사업자들이 존재하는 것이다.

타인들의 편견이라는 장벽만 넘어설 수 있다면 경제적 자유의 길로 가는 가장 빠른 지름길 중 하나가 네트워크 마케팅이다. 특별한 학력이나 경력이 필요한 것도 아니다. 나이도 관계없다. 자신이나 가족, 친족의 자본을 동원하는 것도 아니고, 사무실이나 가게를 차린 것도 아니다. 직원 한 명 고용하지 않고 그저 혼자서 밥값, 찻값, 교통비 정도 써가면서 노력했을 정도인데 연간 몇억 원에서 몇십억 원의 수입을 꿈꿀 수 있는 사업이 네트워크 마케팅이다. 평범한 사람들의 부의 추월차선 중 하나다.

일반 회사에 입사해 월 천만 원의 소득을 받으려면 대략 20~30년은 걸린다. 그것도 좋은 회사인 경우에 한정해서고, 그 좋은 회사에서도 치열한 경쟁을 이겨내고 어느 정도 높은 직급에 다다랐을 때나 가능한 일이다. 전체 근로자 수에 비하면 확률이 매우 낮다는 이야기다.

중소벤처기업부 통계에 따르면 전체 기업의 99.9%는 중소기업이고, 전체 기업 종사자의 81.3%는 중소기업에서 일하는 것으로 나타났다. 중소기업에서 월 천만 원 즉, 연봉 1억2천만 원 이상을 줄 수 있는 기업이 얼마나 될까? 81.3%의 중소기업 종사자 대부분은 월 천만 원 이상의 연봉을 꿈꾸기 쉽지 않다. 받는다고 하더라도 최대 정년까지이고 말이다.

앞에서도 이야기했던 바와 같이 필자가 가입되어 있는 네트워크 마케팅 회사에서 월 천만 원 이상의 직급자를 해외 여행에 초대했는데 258명이 참여했다. 개인 사정이 있어 참여하지 못한 사람까지 포함하면 300명 가까이 된다는 의미다. 한국에 정식 오픈한 지 3년 정도 된 시점에 열린 행사였기 때문에 이들 모두는 사업을 시작한 지 불과 2~3년 만에 월천 직급자에 다다른 것이다. 무려 평범한 사람들

300여 명이 말이다. 일반 회사의 급여 속도로는 절대 따라잡을 수 없는 네트워크 마케팅의 소득 속도다.

필자 역시 시작한 지 2년 남짓 만에 월 천만 원 직급이 목전에 와 있다. 하루에 여덟 시간 이상을 22년간 대기업에서 치열하게 일하고 경쟁했지만 받지 못했던 소득이다. 그런데 네트워크 마케팅 사업에서는 2년여 만에 월 천만 원 직급을 목전에 두고 있다. 그것도 본업을 병행하며 하루에 3~4시간 정도를 투자했을 뿐인데 말이다.

기쁘면서도 한편으로는 허망하고 어이없다. 서울의 좋은 대학에 들어가고 싶어 치열하게 공부하고, 대기업에 들어가려고 치열하게 경쟁하고, 회사에 들어가서는 업무와 경쟁에 치여 22년간 전쟁하듯 살았는데도 이루지 못했던 월 천만 원 소득을 '네트워크 마케팅'이 도대체 뭐라고 2~3년여 만에 가능하게 해준단 말인가? 그것도 죽을 때까지 뿐만 아니라 죽은 이후에도 받을 수 있는 영속적 소득으로 말이다.

네트워크 마케팅 사업에서는 학력도, 나이도, 장애도, 성별도, 근무기간도 따지지 않는다. 오로지 자신의 노력과 의지와 성과에 의해 단기간에도 경제의 자유를 누릴 수 있다. 몇 년간 열심히 해서 월 천만, 월 2천만 이상의 수입이 생기고, 그 수입이 죽을 때까지 지속된다면 경제의 자유를 성취했다고 할 수 있다.

더 많은 사람들이 필자처럼 '네트워크 마케팅이 뭐라고 나에게 이런 경제적 자유를 주지?'라고 어이없어하면서도 그 자유를 만끽할 수 있는 날이 꼭 왔으면 좋겠다.

사람의 자유:
내 옆에 둘 사람을
내가 선택할 수 있는

필자는 대학 졸업을 몇 달 앞두고 아시아나항공에 취업했다. 신입 교육 후 처음 배치받은 곳은 조종사 심사부서였다. 바로 옆 팀에는 지금 기억으로 Y대 출신의 내성적인 동기 A가 배치되었다. 그런데, 그 동기는 불과 한 달쯤 다니다 회사를 그만두었다. 첫 직장 첫 상사 B 때문이었다.

A의 상사 B는 독특한 업무 때문에 팀 내에서도 외딴 섬처럼 혼자 일을 하는 사람이었다. 그러던 중 A를 유일무이한 부하로 맞이한 것이다. 그런데 상사 B는 성격이 굉장히 급하고, 괴팍하고, 직선적이었다.

어느 날인가 말로만 듣던 상사 B의 성격을 두 눈으로 목격하게 되었다. 큰 소리가 나서 보니 상사 B가 계단을 뛰어 올라가는 부하 A의 뒤통수에 대고 호통을 치고 있었다. 상사 B의 지시에 따라 A가 심부름을 하러 이제 막 출발했는데 왜 아직 안 오냐고 고래고래 소리를 지르고 있었다. 마치 학생 시절 왕따를 시키려고 일부러 트집을 잡아 괴롭히는 장면 같았다. 신입사원 군기를 잡겠다고 의도적으로 그랬을지도 모르겠다. 당시 필자는, '저 선배 정신이 좀 이상한 사람 아니야?'라는 생각을 했었다.

그러다 결국 A가 초스피드로 사직했다. 두 달간 신입 교육을 받았는데 그 교육 기간보다 짧은 기간에 회사를 그만둔 것이다. 왜? 사람의 자유를 찾아 떠난 것이다. 심약한 신입 A가 포악한 상사 B 곁에 앉아 보내는 하루는 아마도 천 년처럼 길었을 것이다. 자신의 기회와 이득을 위해서는 수단과 방법, 물불을 안 가리는 상사를 겪어본 지금은 그렇게 빨리 떠날 수밖에 없었던 동기 A의 마음이 조금은 이해된다. 현명한 선택이었다.

나의 성공과 행복에 사람만큼 큰 영향력을 가진 존재가 없다. 사람 때문에 행복하고, 사람 때문에 성공하는 경우도 많지만 사람 때문에 불행하고, 사람 때문에 실패하는 경우도 부지기수다. 위 사례에서처럼 말이다.

문제는 현대인들은 나와 맺어질 인연을 내가 선택할 수 있는 자유가 많지 않다는 것이다. 사회가 정해 놓은 제도와 시스템에 의해 내가 만날 수 있는 인연이 만들어진다. 학교에 다닐 때는 학교가 정해준 반 친구들이 내 인연이 되고, 회사에 다닐 때는 회사가 정해준 팀 동료들이 내 인연이 된다. 같은 반 친구들이나 같은 팀 동료들이 마음에 들지 않는다고 내 마음대로 반이나 팀을 바꿀 수도 없다. 심지어 같은 반 친구들이 나를 왕따시키고, 같은 팀 상사가 나를 부당하게 괴롭혀도 큰 사건이 일어나기 전까지는 반이나 팀을 바꿀 수 없다. 좋든 싫든 내가 아닌 누군가가 정해준 사람들과 어울려 살아야 하는 것이 인간의 숙명이다.

그리고 그것이 수많은 불행의 씨앗을 품고 있다. 공부나 일보다 훨씬 힘든 것이 사람이다. 왕따 때문에 학교를 자퇴하고, 갑질 때문에 회사를 그만둔다. 자살까지 감행하는 비극이 발생하기도 한다. 내가 아닌 누군가가 맺어준 인연 때문에 말이다. 피할 수가 없어서 스스로 피하는 것이 자퇴고, 퇴사고, 자살이다.

필자 역시 대학원을 포함해 18년간 학교생활을 하고, 22년간 회사생활을 했으니 꼭 40년간 사회제도와 시스템이 만들어준 사람들과 생활을 했다. 누구나 겪어 보았겠지만 학교생활 또는 회사생활 중에 좋은 사람도 많았지만 불편했던 사람도 많았다. 수년간 같은 공간에, 같은 시간 동안 머물러야 해서 사람으로 인한 감정적 고통과 스트레스를 고스란히 감당해야 했던 시간들이 누구나 있었을 것이다.

그래도 학교 다닐 때는 좀 덜했다. 소위 논다는 친구가 간혹 괴롭혀서 불편한 적은 있었지만 왕따처럼 심각한 경험을 해본 적은 없기 때문이다. 하지만 회사에 들어갔더니 상황이 전혀 달랐다. 나와 내 가족의 운명을 좌우할 수 있는 지시권, 평가권, 인사권을 가진 무소불위 권력자가 항상 곁에 존재하기 때문이다.

아무리 좋은 상사라도 옆에 있으면 늘 불편하고 조심스럽다. 상사도 사람인지라 내가 하는 말과 행동 하나하나에 자신만의 느낌과 생각을 갖기 마련이다. 상사의 개인적인 느낌과 생각이 나에게 업무를 지시하고 배정할 때 영향을 주기도 하고, 인사평가를 할 때 내가 이룬 업무 성과보다 더 강하게 작용하기도 한다. 그러니 상사는 늘 불편하고 부담스러운 존재다.

어쩌면 자유로운 인간이 될 수 있는 첫 번째 조건이 사람으로부터의 자유가 아닐까? 나와 맞는 사람, 내가 좋아하는 사람만 만날 수 있는 자유 말이다. 하지만, 일반 회사에서는 불가능한 자유다. 좋든 싫든 회사의 인사발령에 따라 같은 팀이 된 사람들과 1년 내내, 혹은 몇 년 내내 얼굴을 보고 살아야 한다. 나의 생각이나 관심을 기준으로 만나는 것이 아니라 회사의 명령에 의해 만난 사람들과 지지고 볶고 살아야 한다.

반면 네트워크 마케팅 사업을 해보니 전혀 다른 인연이 펼쳐졌다. 네트워크 마케팅 회사는 '좋은 소비자와 좋은 사업자는 이런 사람이다'라는 정도의 가이드만 줄 뿐이다. 사업자들에게 누구와 일을 하라고 강요하지 않는다. 그럴 권리도 없고, 그럴 필요도 없다. 그래서 모든 사업자들이 함께 일할 사람을 100% 자신의 생각과 판단에 의해 선택한다.

물론 네트워크 마케팅 사업에서도 평소에는 천사 같던 사람이 사업관계가 되자 갑자기 이기적이고 부도덕한 사람으로 돌변하는 경우도 있었다. 그걸 모르고 덜컥 그 사람 하부 라인으로 가입했다가 몇 달 해보니 본색이 드러나는 경우다. 만일 상위 스폰서가 그런 사람이라는 것이 명확하면 바로 그만두면 된다. 나와 함께할 사람에 대한 선택권은 나에게 있으니 말이다.

몇 개월간의 노력을 포기하는 것이 아깝지만 어렵게 들어간 회사도 아니고, 많은 자본을 투자한 사업도 아니기 때문에 같이할 사람이 아니라는 판단이 되면 주저 없이 그만둘 수 있는 것이 네트워크 마케팅 사업이다. 또 그렇게 하는 것이 맞다. '사람이 답이다'라는 말은 '오답인 사람은 재앙이다'라는 말의 다른 표현이니 내 사업인 네트워크 마케팅을 제대로 하기 위해서라도 오답으로 판명된 사람은 피해야 한다.

내 하부 라인의 파트너 사업자를 선택할 때도 마찬가지다. 부정적인 사람이나 예의가 없는 사람, 아는 것은 없으면서 주장만 강한 사람 등은 내가 선택하지 않으면 된다. 사고방식이나 행동, 태도, 가치관 등이 나와 너무 다른 사람은 상대를 안 하면 되고, 가입을 안 시키면 된다. 그 사람 외에도 나와 맞는 사람, 좋은 사람이 세상에 널렸기 때문이다. 세상은 넓고 만날 사람은 많다.

만일 함께하는 사람이 불편한데도 그만둘 수 없다면 거리를 조절하면 된다. 학교에서나 직장에서는 무조건 동일한 공간에, 동일한 시간 동안 함께 머물러 있어야 하기 때문에 거리를 내 마음대로 조절하기 힘들다. 하지만 네트워크 마케팅 사업은 시간과 공간의 자유가 있는 사업이기 때문에 그런 스폰서, 그런 파트너와는 함께하는 시간과 공간을 줄이거나 안 만들면 된다. 함께할지 말지, 함께하게 되었지만 계속 볼지 말지, 계속 보아야 한다면 거리를 둘지 말지를 내가 선택할 수 있기 때문에 네트워크 마케팅 사업은 사람의 자유가 있는 사업이다.

갈수록 이기적이고 탐욕적인 사람이 많아지는 세상에서 내가 보고 싶고, 만나고 싶은 사람과 일을 하고, 꿈을 꿀 수 있는 것만큼 행복한 일은 없을 것이다.

생각의 자유: 내가 생각하고 판단한 대로 움직일 수 있는

경제의 자유, 시간의 자유, 공간의 자유에 대해서는 많이들 이야기하지만 생각의 자유에 대해 말하는 사람은 많지 않다. 돈도 없고, 시간과 공간의 자유가 없어도 생각은 언제든지 상상의 나래를 펼칠 수 있다고 생각하기 때문이다. 하지만 과연 그럴까?

다른 사람과 일을 하다 보면 갈등이 생기기 마련이다. 왜 그럴까? 사람마다 생각이 다르기 때문이다. 생각이 다르면 말과 행동이 달라진다. 생각으로 머물러 있는 동안은 상대방의 머릿속을 알 수 없기에 충돌이나 갈등이 없지만 그 생각이 말과 행동으로 표현되는 순간 서로에게 영향을 미치기 시작한다.

특히 함께 일을 해야 하는 관계라면 상대방의 말과 행동이 작게는 내가 해야 할 일이나 책임에 영향을 주고, 크게는 나의 성공과 실패에 영향을 준다. 결과적으로 상대방의 생각이 말과 행동으로 표출돼서 내 성공과 행복에 막대한 영향을 주는 것이다.

다시 말해, 상대방의 생각이 내 생각에 영향을 미치기 마련이다. 내 생각이 맞는 것 같고, 내 생각대로 하고 싶지만 내 생각이 틀릴 수도 있고, 내 생각대로 할 수 없는 경우도 많다. 조율하고 타협해야 같이 일을 할 수 있기 때문이다.

그래도 조율하고 타협할 수 있는 것은 어느 정도 내 생각의 자유가 보장된 경우다. 공동 작업의 시너지를 위해 내가 동의하고 이해하는 선에서 양보도 하고, 상대방으로부터 양보도 받으면서 결과를 만들어가는 상황이기 때문이다.

문제는 동등한 관계가 아니라 상하관계 또는 종속관계에서 일을 할 때 발생한다. 물론 내 머릿속 생각은 내가 원하는 순간 수십억 년 전으로 날아갈 수도 있고, 지구 구석구석을 순식간에 돌고 올 수도 있을 만큼 자유롭다. 심지어 상사가 바로 앞에서 삿대질해가며 나를 혼내고 있는 순간에도 눈은 상사에게 두고 생각은 좋은 곳, 행복한 순간으로 마음껏 날아갈 수 있다. 혼내고 있는 상사는 모르지만 나는 얼마든지 마이동풍(馬耳東風, 동풍이 말의 귀를 스쳐 간다는 뜻으로, 남의 말을 귀담아듣지 않고 흘려버린다는 뜻)할 수 있다.

하지만 그 이후가 문제다. 나는 며칠 밤을 새워 가며 최선을 다해 계획서, 보고서, 제안서 등을 작성했는데 내 생각이 틀렸단다. 내 생각이 어설프고, 상황 판단을 못 했단다. 그러니 다시 작성하란다.

상하관계, 종속관계에서는 다른 대안이 없다. 상사가 지적하고 지시하는 방향으로 내 생각을 맞춰야 한다. 그나마 자기 생각을 명확하게 설명해주는 상사라면 다행이다. 그냥 마음에 안 든다고만 하는 상사도 많다. 뭐가 마음에 안 드는지 자기도 모르기 때문이다. 그래서 자기도 모르는 자기 마음에 들 때까지 계속 만들어 보라는 것이다. 앞에서 이야기했던 트리플A(AAA, Asiana Aviation Academy) 기획서 사례처럼 말이다.

이때부터는 상사도 모르는 상사의 마음에 들기 위한 숨바꼭질이 시작된다. 분명 내가 생각하고 있는데 내 생각이 아니고 그의 생각을 알아차리기 위한 생각을 해야 한다. 이것은 생각의 자유가 없는 것이다. 직장생활을 하다 보면 그런 일이 거의 매일 일어난다. 내 생각이 중요한 것이 아니라 상사의 생각을 잘 알아맞혀야 인정받을 수 있기 때문이다.

회사에 근무할 때 있었던 일이다. 신년 초 대리승격 교육과정을 준비하고 있을 때 팀장님이 불러서 가보았더니 새로 부임한 본부장님의 강의안을 작성해보라는 것이다. 신임 대리 과정에서 본부장님이 두 시간 동안 강의를 할 예정인데 그 강의안을 내게 작성해보라는 것이었다. 그래서 필자는 요청했다.

"본부장님이 대리 승격자들에게 하고 싶은 말씀을 알아야 할 것 같습니다. 인터뷰가 힘들다면 핵심 키워드라도 여쭤봐주시면 그에 맞게 강의안을 만들어 보겠습니다."

하지만 팀장님은 말이 통하지 않았다. 그냥 막무가내로 알아서 만들어 보라는 것이었다. 아마도 본부장님은 지시한 적도 없는데 팀장이 스스로 준비해서 새로 부임하신 본부장님의 눈도장을 받고 싶었던 것이다. 십자가는 필자에게 지우고 말이다.

그때부터 미로 찾기 전쟁이 시작되었다. 다른 본부에서 온 본부장님이라 필자에게도 낯선 분이었다. 그야말로 그분의 생각을 유추해서 작성할 수밖에 없었다. 대기업 부사장인 본부장님이 할 강의이고, 오신 지 얼마 안 된 중역에게 내 첫인상을 결정짓게 할 수 있는 일이라 부담이 이만저만이 아니었다. 팀장의 정치적 의도에 충실하면서, 잘 알지도 못하는 본부장님도 흡족해할 강의안을 만들기 위해 몇 주간 끙끙거릴 수밖에 없었다. 다행스럽게도 본부장님께 강의안을 보고했더니 극찬을 하였다. 몇 주간 안개 속을 헤매며 흘린 땀과 눈물이 일순간에 씻겨져 나가는 것 같았다.

그런데 문제가 발생했다. 그렇게 극찬했던 본부장님이 실제 강의하실 때는 빔 프로젝터 스크린에 강의안 표지만 띄워놓고 두 시간 동안 단 한 페이지도 넘기지 않고 당신이 하고 싶은 이야기만 했다. 얼마나 기가 차고, 화가 나고, 허탈했는지 모른다. 더 화가 나는 것은 이런 말도 안 되는 일을 시킨 팀장에게 한마디 원망도 할 수 없는 현실이었다. 그것이 회사원의 삶이니까.

직장인에게는 온전한 생각의 자유가 없다. 물리적으로는 내 생각이니 내가 하는 것이지만 그 생각의 방향은 상사의 생각을 알아차리기 위한 생각을 해야 하기 때문이다. 상사의 지시를 수행하기 위한 생각, 상사에게 좋은 평가를 받기 위한 생각, 상사의 지적을 반영하기 위한 생각을 날마다 해야 하기 때문에 내 생각이 늘 누군가의 지배와 통제 속에 있을 수밖에 없다.

앞에서도 이야기했듯이 네트워크 마케팅 사업에서는 상사가 없다. 상사가 없기 때문에 내 생각을 지배, 통제할 사람도 없다. 보고서, 제안서, 기획서 등을 작성해서 보고할 일이 없으니 그것 때문에 지적받을 일도 없고, 몇 날 몇 주간 상사의 생각 찾기 전쟁을 치를 필요도 없다. 모든 성과와 그에 따른 보상이 나의 개인적인 생각과 판단, 노력에 달려 있기 때문에 내 생각의 자유가 오롯이 보장된다.

내가 하고 싶으면 하고, 하기 싫으면 안 하면 된다. 내 생각이 옳다고 생각되면 그대로 추진하면 되고, 내 생각이 옳지 않다고 생각되면 하지 않으면 된다. 물론 그 생각을 불편해하는 상위 스폰서도 있을 수 있고, 하위 파트너도 있을 수 있지만 그렇다고 그들이 내 생각을 지배하거나 통제할 수는 없다.

어떤 일을 하거나 안 한다고 해서 나에 대한 지시권이나 평가권, 인사권을 가지고 나에게 피해를 줄 수 있는 사람이 없기 때문에 내가 생각하고 판단한 대로 하거나 말거나 할 자유가 오롯이 나에게 있다. 완벽한 1인기업 사업모델인 것이다.

올바른 회사: 안전성, 상품성, 보상성

1 안전성

1) 재정적 안전성
   - 국내외 신용평가기관의 신용도 평가 점수
   - 공정거래위원회 홈페이지에서 해당 사업자의 매출, 부채, 손익, 수당 등 조회 가능

2) 역사적 안전성
   - 설립년도 및 업력: 설립한 지 오래된 회사일수록 역사적 검증을 많이 받은 회사임
   - 진출국가: 다양한 국가에 진출했다는 것은 그만큼 많이 검증되었다는 의미

3) 평가적 안전성
   - 직접유통 세계 순위 (예: 세계 100위 이내라면 충분히 신뢰해도 됨)
   - 직접유통 국내 순위 (예: 국내 10위 이내라면 충분히 신뢰해도 됨)

2 상품성

1) 품질
- 가격 대비 품질이 우수한가
- 경쟁 제품 대비 품질이 우수한가
- 국내외 품질기관의 인증을 획득했는가

2) 가격
- 품질 대비 가격이 저렴한가
- 경쟁 제품 대비 가격 경쟁력이 있는가

3) 트렌드
- 현재 시장의 트렌드에 부합하는 아이템인가
- 미래에도 성장 가능성이 높은 아이템인가

3 보상성

1) 보상체계가 합리적인가

2) 초기 사업자들에게도 어느 정도의 수당이 지급되는 보상체계인가

3) 공정거래위원회 홈페이지를 통해 상기 1), 2)항의 실제 현황 확인 직접 유통

제4장

4권:
상속까지 가능한 풍요

대다수의 사람들은 간단하게 부를 얻는 방법을 전혀 알지 못한다.
왜냐하면 그들은 그들 앞에 있는
올바른 기회를 잡는 방법을 배운 적이 없기 때문이다.
경제적 자유를 원한다면 네트워크 마케팅 사업을 하라.

- 로버트 기요사키 (세계적인 베스트셀러《부자 아빠, 가난한 아빠》저자)

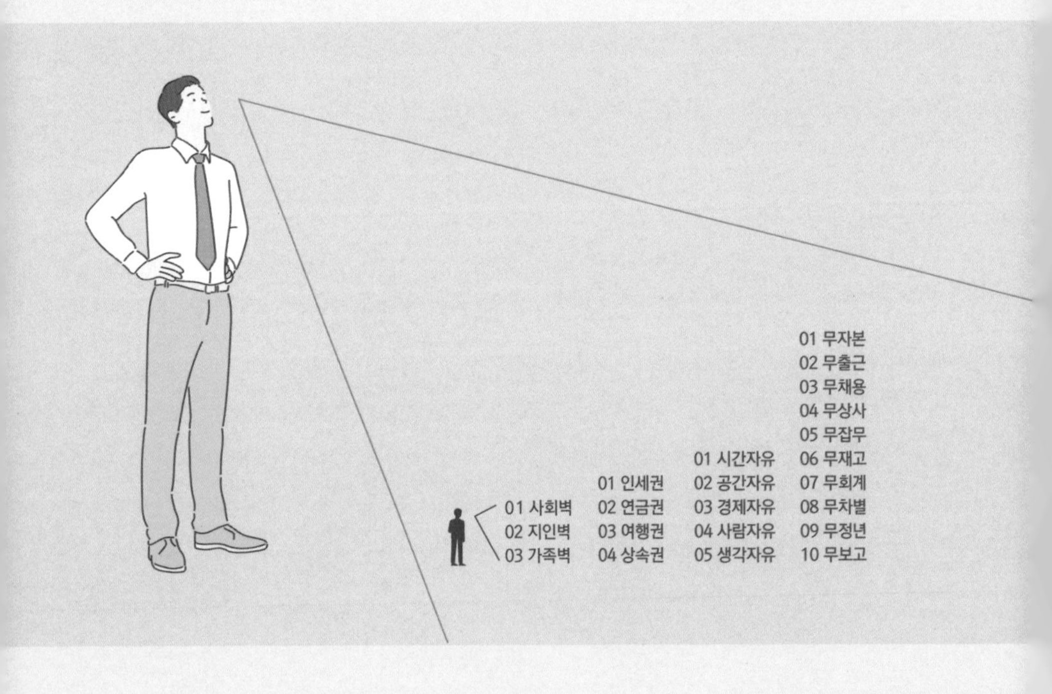
01 사회벽
02 지인벽
03 가족벽
01 인세권
02 연금권
03 여행권
04 상속권
01 시간자유
02 공간자유
03 경제자유
04 사람자유
05 생각자유
01 무자본
02 무출근
03 무채용
04 무상사
05 무잡무
06 무재고
07 무회계
08 무차별
09 무정년
10 무보고

1권

인세권:
내 통장에 돈이
꾸준히 들어오게 해주는

'인세소득자'

듣기만 해도 설레는 단어다. 돈을 버는 것이 얼마나 힘들고 괴로운 일인지 학생 때는 잘 모르지만 직장생활을 해보면 금방 안다. 업무는 업무대로 끊임없이 괴롭히고, 사람은 사람대로 끊임없이 괴롭힌다. 1년 365일, 출근해 있을 때뿐만이 아니다. 퇴근 후에도 계속 내 꽁무니를 따라다니면서 마음을 괴롭히는 것이 회사 업무, 회사 상사다. 먹고살아야 하니 참고, 견디며 살아갈 뿐이다. 다행인지 불행인지 모르지만, 주변을 둘러보면 다른 사람들도 그렇게 사니까 '사는 게 원래 다 그런 건가 보다!'라며 참고, 견디며 살아간다.

항간에 인스타그램은 질투그램이라고 하는 것을 들었다. 기발한 정의다. 사람들은 인스타그램뿐만 아니라 모든 SNS에 멋지고, 즐겁고, 행복한 모습을 주로 올린다. 심지어 편집하고, 과장해서 올린다. 그러나 백이면 백 그 사람들에게도 고통과 고난이 있다. 그런데 거기까지는 생각이 미치지 않는다. SNS를 통해 매일 남들의 멋지고, 즐겁고, 행복한 모습을 보고 있노라면 자기도 모르게 자신과 비교하게 된다. '나만 불행한가?', '남들은 다 저리 행복하게 사는데 나만 왜 이럴까?' 하면서 말이다.

사람은 비교의 동물이다. '풍요롭다, 행복하다'라고 생각하다가도 나보다 풍요롭고, 행복해보이는 사람을 만나면 바로 기분이 나빠진다. 사촌이 잘 살면 떡이라도 하나 더 얻어먹을 수 있다는데 그것은 나중 일이다. 지금 당장은 배가 더 아픈 것이 인간의 본능이다.

그중에서도 가장 부럽고, 배 아픈 삶 중 하나가 인세를 받고 사는 삶일 것이다. 나는 매일 새벽에 일어나, 콩나물시루 같은 전철과 도로 위에서 이미 반쯤은 녹초가 된 상태로 출근해서, 원수 같은 상사와 밀려드는 업무에 온종일 시달린 후, '평생 이렇게 살아야 해?'라고 한숨지으며 퇴근하는 삶을 반복하고 있는데 그 사람은 출근도 안 하고, 상사도 없고, 일도 안 한다. 그런데도 나보다 훨씬 편하게 잘 먹고 잘 산다.

그(혹은 그녀)는 매일 아침 느즈막이 일어나 한가롭게 음악을 들으며 커피를 내리고, '오늘은 뭐 하고 놀지?'라며 즐거운 상상에 빠지곤 한다. 하고 싶은 것만 하고, 만나고 싶은 사람만 만나고, 가고 싶은 곳만 가면서 늘 즐겁고 여유롭게 산다.

반면 직장인은 저녁도 평온치 않다. 퇴근하면서 다음 날 출근을 걱정한다. 내일도 꼬리에 꼬리를 무는 업무가 쌓여 있고, 껄끄러운 선후배 직원과 또 하루 종일 같은 공간에서 안달복달해야 한다. 꼬장꼬장한 상사에게 시달리면서 말이다.

많은 직장인들이 '카르페디엠(Carpe diem, 오늘을 즐기자)'이라고 끊임없이 외치는 것은 끊임없이 오늘을 즐기지 못하고 있다는 증거다. 혜민 스님의 '멈추면 비로소 보이는 것들'이라는 책을 보면서, '수시로 멈출 수 있는 것은 한가한 스님이니까 가능하지!'라고 생각하는 직장인이 많으니 말이다.

인세받는 삶은 오늘도 여유롭지만 내일도 여유롭다. 그래서 아침도 여유롭고, 저녁도 여유롭다. 내일에 대한 걱정과 불안이 없기 때문이다. 굳이 '카르페디엠'을 외치지 않는다. 이미 온전히, 지금, 현재를 즐기면서 살고 있기 때문이다. 그래서 조물주 위에 있는 것이 건물주라고 하는 것이다.

물론 네트워크 마케팅 사업이 100% 인세를 받는 사업은 아니다. 급여와 인세의 중간 정도, 혹은 급여보다는 인세에 가까운 소득을 얻을 수 있는 사업이다. 특히 초기에는 수입이 많지 않기 때문에 입사하자마자 정해진 봉급이 나오는 급여소득자보다 수입이 적다. 사실 네트워크 마케팅도 사업이기 때문에 사업소득인 네트워크 마케팅 수입을 근로소득인 회사원의 봉급과 비교할 수는 없지만 굳이 비교하자면 그렇다는 것이다.

초기 단계에서는 수입이 많지 않기 때문에 내가 받는 돈이 급여니, 인세니 따지기 어렵다. 하지만, 직급이 올라가고 수당이 올라가면 서서히 인세소득의 성격이 강해진다. 가까운 사업자 중 한 분은 위암으로 위의 반 이상을 제거한 후 1년여 동안 사업 활동을 전혀 못했는데도 수술 전에 받았던 월 천만 원의 수당이 수술 후에까지 유지되었다. 무려 1년여간 일을 전혀 못 했는데도 월 천만 원의 수입이 매월 계속 나온다는 말이다. 봉급생활자인 직장인에게는 절대 있을 수 없는 일이다. 돈도, 시간도 말이다.

네트워크 마케팅 사업은 처음에는 근로소득으로 시작하지만 시간이 지날수록 인세소득이 많아지는 사업이다. 처음에는 내가 직접 발굴한 회원이 소비한 금액에 대해 수당을 받는다. 하지만 시간이 지날수록 내 산하의 다른 회원들이 발굴한 회원이 훨씬 많아지고, 그들이 소비한 금액에 대해 받는 수당이 훨씬 많아진다.

눈덩이 효과(Snowball Effect, 작은 규모로 시작한 것이 가속도가 붙어 큰 효과를 불러오는 것. 미국의 사업가 워런 버핏이 사용한 용어) 덕분이다. 처음에는 내가 직접 몇몇 회원을 발굴해서 구슬 크기 정도의 작은 눈덩이를 만든다. 그런 다음 계속 회원을 발굴해서 야구공 크기의 눈덩이로 만들어간다. 계속하다 보면 그 크기가 배구공 정도가 된다. 이때까지는 내가 직접 발굴한 회원의 소비로부터 비롯되는 근로소득밖에 없는 단계다.

이때까지가 어렵다. 작은 눈덩이는 굴려도 잘 굴러가지 않는다. 오로지 내 힘으로 굴려야 한다. 하지만, 배구공 크기 정도가 되면 제법 스스로 굴러가기 시작한다. 내가 발굴했던 회원 중에서도 사업자로 참여하는 사람이 생기기 때문이다. 그 사람들이 새로운 회원을 발굴해서 함께 눈덩이를 굴리기 시작한다. 인세소득이 발생하기 시작하는 단계다. 눈덩이의 크기가 커져갈수록 가속도가 붙기 때문에 근로소득보다 인세소득이 기하급수로 많아진다.

물론 눈덩이가 커졌다고 해서 손을 완전히 놓아버리면 작아질 수도 있고, 멈춰버릴 수도 있다. 아무리 건물주라도 건물관리는 지속해야 하는 것과 마찬가지다. 하지만, 건물주처럼 큰 자본을 투자한 것도, 일반 회사처럼 많은 직원을 고용한 것도 아닌데 즉, 1인기업가로서 내 시간과 노력만을 투자해서 연 수억, 수십억의 소득을 얻는다면 인세소득이라고 표현해도 무방할 것이다.

인세를 받는 사람도 그 인세를 받기 위해 뭔가를 투자했을 것이다. 책을 썼거나 음악을 만드는 등의 활동 말이다. 그렇게 비교한다면 네트워크 마케팅 사업에 투입하는 시간과 자원도 인세가 나오는 책이나 음악을 만드는 데 투입하는 시간과 자원에 해당하는 것이라고 할 수 있다.

다만, 네트워크 마케팅 사업은 책이나 음악과 달리 완성이라는 단계가 없기 때문에 사업 활동을 계속해야 한다. 몇 년, 몇십 년 동안 전혀 사업 활동을 하지 않는데 많은 수입이 계속 유지되기는 힘들기 때문이다. 반면, 책과 음악의 인세는 세월이 지나면서 줄거나 없어질 확률이 높다. 하지만, 네트워크 마케팅 사업의 수입은 내가 멈추지 않는 한 계속해서 늘어날 확률이 높다.

아울러, 네트워크 마케팅 사업은 직급과 수당의 규모가 커지면 커질수록 내가 한동안 멈춰 있거나 일을 하지 않아도 일상생활을 하는

데 차고 넘칠 정도로 많은 수입이 상당 기간 지속될 확률이 높다. 때문에 네트워크 마케팅 사업소득을 '인세소득'이라고 표현해도 무방한 것이다.

더 중요한 것은 네트워크 마케팅 사업에는 특별한 학력이나 재능이 필요하지 않다는 사실이다. 책을 쓰고, 음악을 작곡하는 일은 아무나 할 수 있는 일이 아니다. 인세가 좋다는 것을 모르는 사람은 없다. 하지만 특별한 교육을 받았거나, 특별한 재능이 있지 않으면 그림의 떡이다.

반면 네트워크 마케팅 사업은 특별한 학력이나 재능이 없어도 된다. 나이, 성별, 장애도 관계없다. 다른 사람의 시선이나 평판에 얽매이지 않고 스스로 열심히만 한다면 누구나, 그것도 죽을 때까지 인세소득을 누릴 수 있는 사업이 네트워크 마케팅이다. 더더구나 그렇게 키운 인세소득권을 내 자손에게 상속세 없이 상속까지 시켜줄 수 있으니 이보다 좋고, 안전하고, 매력적인 사업이 어디 있겠는가.

특별한 학력이나 재능이 없다면, 좋은 학력과 재능이 있어도 내 시간과 노동의 대가만으로 살아가고 있다면 한 번쯤 시도해볼 만한 일 아닌가?

연금권:
평생소득을 보장해주는

모 네트워크 마케팅 회사에서 연봉 2억 이상의 고연봉자를 부산 롯데호텔에 초대했는데, 최고령 참가자가 83세였다고 한다. 심지어 수십 명이 모였는데 평균 연령은 65세였다! 충격적인 수치다.

필자가 젊었을 때도 분명 들었던 이야기인데 그때는 와닿지 않았다. 퇴직이 한참 남았던 시절이라 남의 이야기로 들렸다. 하지만 퇴직을 걱정하는 나이가 되니 83세에도 일을 하고 있다는 것, 그것도 그 고령의 나이에 2억이 넘는 연봉을 받고 있다는 사실이 믿기지 않았다. 부러운 정도가 아니라 시기심, 질투심이 생길 정도였다.

대한민국에 83세 노인을 고용해주는 회사는 없다. 그야말로 영혼까지 바쳐서 죽어라 일을 하고, 입안의 혀처럼 아부하고 아첨한다고 해도 60세 언저리면 단 한 사람의 예외 없이, 가차 없이 내쳐진다. 심지어 지금은 60세 정년까지는 언감생심이다. 40세 전후부터 세상 밖으로 내몰리기 시작한다. 그런데 83세라니.

어쩌다 80세가 넘는 나이까지 일을 한다 해도 연봉 2억 원을 받을 수 있는 직업은 없다. 좋은 회사의 소유주가 아니고서야 개인이 80세가 넘도록 수억 원의 연봉을 받을 수 있는 직업은 없다. 그런데 그런 일이 일어날 수 있다는 건 놀라운 일이다.

물론 연봉 2억 원까지 가는 것이 쉬운 일은 아니겠지만 그럼에도 평범한 사람들에게 그런 기회의 문이 열려 있다는 것 자체만으로도 얼마나 놀라운 일인가. 수명은 길어지고 정년은 짧아지는 이 시대에 평범한 사람들에게도 안성맞춤 돌파구가 있으니 말이다.

80세가 넘어서도 영화와 드라마를 누비는 배우들을 볼 때마다 이런 생각을 한다.

'국민연금, 개인연금 잘 준비해서 60살 은퇴 후 30년 이상을 할 일 없이 사는 것이 행복한 삶일까, 후배들의 관심과 존경을 한 몸에 받으며 이 영화, 저 드라마에 출연하면서 늙어가는 배우의 삶이 행복한 삶일까?'

말이 필요 없다.

코로나가 있기 전 서울 종로의 탑골공원에 매일 나와 계시는 노인들이 많았다. 그중에는 일을 하지 않아도 생계를 유지할 수 있는 분들도 있다. 하지만 할 일도 없고, 자식들은 먹고사느라 바쁘고, 손자들은 공부하느라 바쁘니 외롭고 적적해서, 사람이 그리워서 나오는 것이다. 행복한 삶은 아닐 것이다.

그래도 일을 하지 않고 노후를 살 수 있는 사람은 다행이다. 그보다 훨씬 많은 노인들이 준비되지 않은 노후 탓에 힘들고 괴로워한다. 죽을 때까지 먹고살 돈은 물론이고, 노후의 건강을 대비하지 못한 노인들이 많기 때문이다. 행복하고 건강한 삶은커녕 위태롭고 아슬아슬한 삶이다. 평범한 사람들 대부분이 그런 처지에 놓여 있다. 자식 키우느라 번 돈 다 쓰고, 늙어서는 자식에게 의지할 수 없는 시대이니 말이다.

죽는 날까지 경제적으로도 풍요로우면서 정신적, 육체적으로도 건강한 삶 즉, 진짜 행복한 인생을 위해서는 연금의 재정의가 필요하다. 아무 일을 하지 않아도 죽을 때까지 나오는 돈만 연금이 아니다. 죽을 때까지 일을 할 수 있으면서 그 일이 그다지 힘들지만 않다면 그것을 통해 나오는 돈이야말로 진짜 착한 연금, 값진 연금이다.

더구나 회사생활을 하면서 자식을 낳아 기르다 보면 노후를 위한 연금을 제대로 준비하기 어렵다. 나아가 노후에 큰 병이나 갑작스러운 사고를 당했을 때를 대비한 여유자금까지 마련할 수 있는 사람은 극소수에 불과하다.

중년의 직장인들에게 종종 물어본다. "은퇴 후에 할 일 없이 20~30년을 사는 것도 못 할 일이죠?" 그러면 돌아오는 대답은 대부분 이렇다. "심심해서 일을 하는 것이 아니라 그 세월 동안 먹고살 돈이 없어서 일을 해야겠죠!" 이것이 일반인의 현실이다.

네트워크 마케팅 사업은 남들의 편견이라는 장벽을 제외하면 일

자체는 지극히 쉽고 단순하다. 83세 노인도, 평균 연령 65세의 수십 명도 2억 원 이상의 연봉자가 될 수 있는 일이니 말이다. 그렇다고 그분들이 원래 돈이 많았던 것도, 학력이나 경력이 모두 높은 것도 아니다. 이와 같은 실제 사례를 통해 네트워크 마케팅 사업은 노인이 되어서도, 특별한 자본이나 능력이 없어도 감당할 수 있을 정도의 사업이라는 것을 알 수 있다. 이러한 사례는 유수의 네트워크 마케팅 회사에서 흔히 볼 수 있는 사례이니 말이다.

앞에서도 이야기했듯 작은 눈덩이를 만든 다음 야구공, 배구공 정도까지 만드는 것이 어렵지 배구공 정도까지만 만들면 그때부터는 큰 힘 들이지 않고도 계속 키워갈 수 있다. 무엇인가를 기획하고, 수없이 서류를 작성하고, 자금을 조달하고, 다양한 업무를 계획하고 실행하는 등의 복잡한 일이 아니라 사람을 만나서 사업을 소개하는 일만 계속 반복하면 되기 때문이다.

그 단순 반복 행위에 연봉 수억, 수십억이 만들어지기 때문에 노인이 되어서도 가능하다. 일 자체도 단순 반복적이지만, 처음에는 근로소득으로 시작되었다가 어느 단계만 넘어서면 인세소득이 폭증하는 네트워크 마케팅 사업모델 자체의 특성과 장점 때문에 가능한 일이다.

먹고살 돈이 없어 70~80세가 되어서도 힘든 일을 해야 하는 사람들이 많다. 많은 동네에서 단돈 몇천 원을 벌기 위해 온종일 폐지를 모으러 다니는, 허리 구부정한 노인들을 쉽게 목격할 수 있다. 다행히 먹고살 돈 혹은 의지할 자식은 있지만 온종일 할 일도 없고 어울릴 사람도 없어 20~30년 동안 무료한 노인으로, 매일 멀뚱히 앉아 마른하늘과 실없이 불어오는 바람을 벗 삼아 쓸쓸하게 늙어가고 있는 노인들도 많다.

반면 네트워크 마케팅 사업자는 산하의 열정 넘치는 사람들로부터 끊임없는 관심과 존경을 받으며 죽을 때까지 멈추지 않는 연금소득을 키워갈 수 있다. 회사의 소유주가 아닌 이상 근로자로서는 절대 꿈도 꿀 수 없었던 '평생소득', '상속자산'을 창출할 수 있는 사업이 네트워크 마케팅 사업이다. 편견의 장벽 너머를 볼 수 있는 거인에게만 보이는 기회다.

여행권: 내가 원하면 언제든 떠날 수 있게 해주는

사람들의 버킷리스트(죽기 전에 하고 싶은 일)에 반드시 들어가는 항목 중 하나가 여행이다. 인간의 본성은 늘 자유를 갈망하지만, 실제 생활은 먹고 사느라 바빠 정해진 공간을 시계추처럼 오가며 살아간다. 인간의 삶도 쳇바퀴를 도는 다람쥐의 삶과 크게 다를 바가 없다. 공간도, 시간도 자기가 원하는 대로 선택해서 사는 사람이 많지 않다. 그래서 늘 세상을 둘러보고 싶다. 새로운 세상, 새로운 장소, 새로운 사람들을 만나보고 싶다.

아시아나항공 인재개발팀 근무 시절, 직원 간의 소통과 화합을 위해 국내뿐만 아니라 해외 직원까지 50여 명을 불러모아 2박 3일간의 조직 활성화 교육 과정을 거의 매달, 4년간 진행했다. 매 차수 오프

닝 시간에 '짝꿍소개'라는 시간을 갖곤 했다. 같은 회사 직원들이지만 1만 명이 넘다 보니 서로 모르는 경우가 많다. 그래서 교육 참석자 간 장벽을 허물기 위해 마련한 이벤트였다.

처음에는 각자 일어나 자기소개를 하도록 했는데 50명의 자기소개를 듣고 있기가 여간 지루한 게 아니었다. 그래서 옆 사람과 대화를 통해 이름, 직급, 소속뿐만 아니라 그 사람의 버킷리스트 Top3를 물어본 다음 짝꿍이 짝꿍을 소개하도록 한 것이다. 같은 내용이 발표되는데도 '자기소개'로 소개하는 것과 '짝꿍소개'로 소개하는 것의 분위기는 확연한 차이가 있었다.

의도한 것은 아니었지만 매 차수 50명씩 수천 명의 버킷리스트를 듣게 되었다. 그때 압도적으로 많이 등장한 버킷리스트가 여행이다. 가족여행, 홀로여행, 전국여행, 세계여행, 명승지여행, 명산여행, 크루즈여행 등등 여행의 종류도 참 다양했다.

사람들이 얼마나 자유를 갈망하는지, 사람들이 얼마나 다른 세상과 다른 삶을 경험해보고 싶어 하는지 그 꿈의 강도를 체감할 수 있었다. 반대로 생각하면 사람들이 얼마나 구속과 속박 속에서 답답해하고 있는지도 뼈저리게 느낄 수 있었다.

문명을 발전시키는 것은 사람들이 부유하고, 자유롭고, 행복하게 살게 하려는 것이 목적인데 그 문명을 발전시켜야 하는 책임과 부담, 실행도 사람들이 감당해야 한다. 사실 극소수의 금수저를 제외한 대다수의 사람들은 문명 발전의 혜택을 누리는 시간보다 문명 발전의 도구나 자원으로 이용되는 시간이 훨씬 많다.

돈은 있는데 시간이 없어서 여행을 못 가는 사람도 많고, 시간은 있는데 돈이 없어서 여행을 못 가는 사람도 많다. 비빌 언덕도 없고, 가진 능력도 부족해서 평생 허겁지겁 살다 보니 돈도, 시간도 부족해 해외여행은 언감생심인 사람도 많다.

해외여행이 거의 일상화되었다고 생각했는데 승무원 학과 입시면접관을 수십 차례 해보니 그런 것만도 아니었다. 승무원 학과 지원자들임에도 불구하고 해외여행을 한 번도 가본 적이 없다는 학생이 참 많았다. 심지어 비행기를 한 번도 타본 적이 없다는 학생도 많았다.

학생들이 비행기를 타보지 않았고, 해외여행을 가보지 않았다는 것은 그들 부모님의 삶이 자식들을 데리고 비행기를 타고, 해외여행을 다닐 만큼 녹록하지 않다는 것을 의미한다. 3~4명의 가족이 해외여행을 가는 비용은 중산층에게도 상당히 부담되는 비용이기 때문이다. 그렇다 보니 상당히 많은 학생들이 비행기를 타보지 않았다거나 해외여행을 가본 적이 없다는 이야기를 하는 것이다.

게다가 대기업에 다닌다면 중산층에 속하는 사람들인데도 버킷리스트마다 여행하고 싶다는 이야기가 끊임없이 나오는 것을 보면 돈이 있어도 시간이 없으면 여행을 다니기가 쉽지 않다는 것이다. 사실 가도 가도 또 가고 싶은 것이 낯설고, 새로운 세상으로의 설렘을 안겨주는 여행인데 말이다.

하지만 누군가 비용도 지원해주고, 시간도 지원해준다면 어떨까? 여행 경비도 지원해주고, 여행 시간도 자유롭게 낼 수 있는 직업이 있다면 어떨까?

네트워크 마케팅 회사들은 판매 촉진을 위해 유통 대행자인 네트워크 마케팅 사업자들에게 막대한 판촉비를 투자한다. 통상의 기업들은 TV, 신문, 인터넷 등에 막대한 광고, 홍보비를 투자하지만 소비자를 통해 직접유통을 하는 네트워크 마케팅 회사는 광고, 홍보비를 소비자이자 사업자인 회원들에게 투자하기 때문이다. 그중 하나가 일정 성과를 달성한 회원을 대상으로 한 무료 해외여행 이벤트다. 적게는 연 1~2회에서 많게는 연 3~4회 이상 매년 해외여행을 시켜준다.

게다가 성공 모델을 통해 다른 사업자들에게 동기부여를 할 목적으로 하는 판촉과 홍보 목적의 여행이기 때문에 대부분 고품질의 여행 상품을 제공한다. 상위 직급자에게는 비즈니스석이나 퍼스트클래스 항공 좌석을 제공하고, 호텔도 스위트룸을 제공해주는 네트워크 마케팅 회사도 많다.

일반인들이 가족여행을 위해 아끼고 아껴서 저렴한 항공권, 저렴한 호텔을 구해서 가는 것과는 비교할 수 없을 정도로 럭셔리한 해외여행을 제공하는 네트워크 마케팅 회사들도 많다. 고급 럭셔리 해외여행인데 해외여행의 1차 장벽인 비용 부담도 없다. 해외여행의 2차 장벽인 시간 부담도 없다. 1~2주일 시간을 비운다고 해서 갑자기 조직이 와해되거나, 업무가 쌓이는 일이 없기 때문에 직장 다닐 때와는 비교할 수 없을 정도로 마음 편히 해외여행을 다녀올 수 있다.

직장 다닐 때는 1주일 정도만 해외여행을 다녀와도 돌아올 때면 어김없이 쌓이고 밀린 업무 걱정에 머리가 지끈거렸다. 그런데 네트워크 마케팅의 사업자로 해외여행을 가보니 돌아올 때까지도 온전히 여행의 설렘과 추억에 빠져들 수 있었다. 내일 다시 출근해서 만나야 할 상사와 밀린 업무에 대한 걱정이 '1도' 없으니 말이다. 그야말로 시종일관 여행의 기분을 만끽할 수 있었다.

네트워크 마케팅 사업으로 어느 정도 직급과 매출에 다다르면 여행의 자유가 생긴다. 회사에서 1년에 수차례 제공해주는 무료 여행의 자유뿐만 아니라 네트워크 마케팅 사업의 특성상 몇 주 혹은 몇 달 정도 쉬어도 수당에는 큰 변화가 없기 때문에 내 돈, 내 시간을 활용해서 수시로 여행을 떠날 수 있다.

더더구나 코로나 이후 일상화된 화상 미팅 덕분에 지방 여행지에서든 해외 여행지에서든 공간의 제약 없이 네트워크 마케팅 관련 미팅과 모임을 진행할 수 있게 되었다. 4차 산업혁명으로 온라인 세상, 메타버스 세상이 되면 될수록 네트워크 마케팅 사업자들의 해외여행이 더욱 일상화될 것이다. 온라인 세상, 메타버스 세상에서는 미팅과 모임에 공간의 제약이 사라지기 때문이다. 버킷리스트에서 잠자고 있었던 여행의 꿈이 네트워크 마케팅 사업자들에게는 일상이 될 날이 머지않았다.

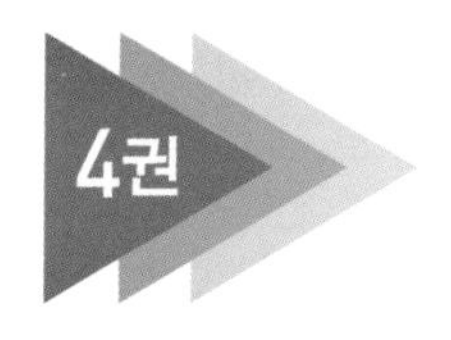

상속권: 내 자식에게 가치 있는 자산을 남겨줄 수 있는

"어머니가 가진 재산은 제가 사드린 밭밖에 없었는데요. 그 밭이 도시개발이 되면서 수용되어 보상금이 나오게 됐습니다. 그런데 기막히게도 미국에 있던 누나와 형들이 상속재산으로 그 보상금을 나눠 갖자고 요구하는 겁니다. 제가 25년간 혼자 어머니를 부양했는데, 보상금을 다른 형제들과 똑같이 나눠야 하는 건가요? 오히려 누나와 형들이 제가 홀로 지출한 부양료를 분담해야 하는 것 아닌가요?" (출처: "어머니 돌아가시자 25년간 나 몰라라 하던 형제들이 상속재산 탐내", YTN라디오)

내가 떠난 후 남아 있을 자식의 미래를 걱정하지 않는 부모는 없을 것이다. 대부분의 부모는 죽을 때도 자식 걱정을 한다. 남겨줄 유산이라도 많으면 걱정을 덜하겠지만 현실은 물려줄 재산은커녕 자신의 노후 준비도 안 된 부모들이 많다. 그렇다 보니 내 노후 걱정에 자식의 미래 걱정까지, 나이가 들어갈수록 몸은 쇠약해지는데 걱정은 더 쌓여 간다.

유산이 많아도 걱정이다. 자식이 한 명이면 한 번에 목돈이 상속되어 삶의 자세와 태도가 흐트러질 확률이 높다. 힘들게 모은 부모의 재산을 물려받았지만 순식간에 탕진하는 자식들이 많듯이 말이다. 자식이 많으면 상속 전쟁이 일어날 확률이 높다. 누군가에게 들은 이야기다. '유산이 200만 원이면 형제들이 모여 회식을 하고, 2000만 원이면 해외여행을 가는데, 2억 원이면 주먹다짐이 시작되고, 20억 원이면 소송에 들어간다.' 참 웃픈(웃기면서도 슬픈) 이야기다. 결국 유산은 없어도 걱정, 많아도 걱정이다.

경제가 한참 성장하던 시기에는 외벌이를 해도 자식을 키우고 노후 준비를 할 수 있었다. 보장된 정년까지 직장생활을 한 후 은퇴하면, 자식들의 보살핌을 받으며 적당히 살다 세상을 떠났기 때문에 노후 준비에 대한 걱정, 상속에 대한 걱정이 덜했다. 내가 그리 살았던 것처럼 내 자식들도 그리 살 것이라는 예측이 가능했기 때문이다.

하지만, 4차 산업혁명 시대라는 이 시대는 예측과 대비가 불가능한 시대다. 게다가 정년은 사라지고, 기대 수명은 늘어나고 있다, 심지어 직업까지 사라지니 가난했던 과거 시대보다 풍요로운 현재 시대가 훨씬 불안하고, 초조한 시대가 되었다. 인간의 지능으로는 도저히 따라갈 수 없는 속도로 정보의 양이 폭증하고, 변화의 속도가 빨라졌기 때문에 무엇인가를 배운 다음, 시도하고, 경쟁해서 먹고살아야 하는 개인들은 끊임없이 배우고, 끊임없이 시도하고, 끊임없이 경쟁해야 하는 '평생 경쟁 시대'에 살고 있다.

정년은 사라지고, 수명은 길어지고, 직업은 급변하니 맞벌이를 해도 부부의 노후 준비를 하면서 자식까지 키우기가 쉽지 않다. 자연스럽게 자식을 안 낳는 시대가 되어가고 있다. 부부가 맞벌이로 바쁘고 힘들면 두세 명은 고사하고 단 한 명을 키우는 것도 전쟁이기 때문이다.

가뜩이나 사교육비가 많이 드는 나라인 데다 취직을 하고, 결혼을 한 이후에도 완전한 분가, 독립을 하지 않고 부모에게 의지해야 아파트 한 칸이라도 마련할 수 있는 나라이니 부모의 십자가가 이만큼 무거운 시대는 없었다. 자식 수는 줄었는데 부모가 느끼는 양육의 무게는 몇 배나 늘어난 것이다.

그러니 상속은 언감생심이다. 부모와 자식의 현재도 불안하고, 미래도 불안한 시대인데 죽을 때 남겨줄 재산까지 준비하는 것은 쉽지 않은 일이다. 길어진 수명 때문에 오랜 노후 생활 동안 자식들에게 부담을 줄까 봐 오히려 노심초사해야 하는 시대이니 말이다. 열심히만 살면 풍족하지는 않더라도 부모와 두세 명의 자식이 현재를 살아갈 수 있고, 미래도 대비할 수 있는 사회가 바람직한 사회다. 하지만 이제 그런 사회는 다다르기 힘든 이상 사회처럼 느껴진다. 과거에는 있었을지 모르지만 다시는 되돌아가지 못할 것 같다.

내 자식을 위해 '상속을 꿈꿀 수 있다!'라는 것은 참 행복한 일이다. 지금 당장 먹고살기도 힘든 시대, 먹고살기 힘들어서 결혼도 안 하고, 결혼을 해도 아이를 낳지 않는 시대에 상속을 꿈꿀 수 있다는 것은 상위 10~20%의 사람들에게나 가능한 일이니 말이다.

게다가 상속할 재산이 있다는 의미를 조금만 깊이 생각해보면 내 노후가 여유롭다는 의미다. 죽을 때 자식들에게 재산을 남겨줄 수 있다는 것은 그때까지 쓰고 남은 재산이 있다는 의미다. 정년이 사라지든, 수명이 길어지든, 세상이 급변하든, 나이가 들어 질병이 찾아오든 그 모든 환경과 처지를 내 경제력으로 극복하고도 재산이 남아 내 자식들에게 남겨주고 갈 수 있다면 다른 측면에서는 어떨지 몰라도 경제적 측면에서는 성공한 인생이다.

그와 같은 인생을 꿈꿀 수 있는 일이 네트워크 마케팅 사업이다. 더구나 비빌 언덕도 없고, 특별한 학력이나 경력도 없고, 자본도 없고, 심지어 나이도 많고, 장애가 있어도 죽을 때까지 여유롭게 살다가 자식들에게 재산을 남겨주고 갈 수 있는 일이 네트워크 마케팅 사업이다. 글로벌한 네트워크 마케팅 회사들은 대부분 일정 직급의 사업자들에게 '상속권'을 보장하고 있기 때문이다.

네트워크 마케팅 회사의 사업자가 사망한 경우 그 사업자의 자녀에게 부모의 직급이 상속된다. 부모의 직급이 상속된다는 것은 그 직급에 해당하는 수당이 상속된다는 의미다.

네트워크 마케팅 회사에 따라 다르지만 수당은 월급으로 나오는 경우도 있고, 주급으로 나오는 경우도 있다. 자녀가 부모의 직급을 상속받아 활동을 지속한다고 가정하면 부모가 살아생전에 키워놓은 전체 그룹에서 올라오는 수당을 계속 받을 수 있고, 능력과 노력 여하에 따라서는 부모가 상속해준 직급과 수당 이상으로 계속 성장시킬 수도 있다.

예를 들어, 부모가 월 천만 원의 수당을 받는 직급자였다면 상속에 의해 그 자식에게 매월 월 천만 원의 수입이 발생한다. 부모가 수년 또는 수십 년간 쌓아온 네트워크를 통해 자녀가 고액의 고정수입을 가져가게 되는 것이다. 미래에 발생할 수입이기 때문에 상속세도 없다.

부동산이나 현금성 재산으로 상속해주면 사업이다 뭐다 해서 한 번에 탕진할 수도 있지만 네트워크 마케팅 수당은 주 단위 또는 월 단위로 발생하기 때문에 자녀의 자세와 태도가 흐트러져 하루아침에 망할 가능성도 낮다.

먼 미래의 일이기 때문에 실감하기 힘들지만 조금만 깊이 생각해 보면, 사랑하는 내 자녀에게 죽을 때까지 마르지 않는 수입원을 상속해줄 수 있는 가치를 위해서도 충분히 키워볼 만한 사업이 네트워크 마케팅 사업이다. 그것도 내 노후에 자식에게 아무런 부담 주지 않고 오히려 죽을 때까지 계속 베풀고 살다가 죽을 때 안정적인 소득원을 남겨주고 갈 수 있으니 말이다.

Netsuccess Tip 4

올바른 동료: 성품, 성격, 역량

성품

1) 존경할 만한 성품인가
2) 자신의 부족한 점을 인정하는 겸손한 마음을 가지고 있고, 개선을 위해 항상 노력하는 성품인가
3) 다른 사람을 있는 그대로 존중하고, 약한 부분을 감싸주고 도와주는 성품인가
4) 자신이 말한 것을 솔선수범하는 성품인가

성격

1) 적극적이고 주도적인 성격인가
2) 소극적이고 수동적인 성격이더라도 성실하며, 개선하려는 의지가 있는 성격인가
3) 다른 사람을 배려하고 경청하는 성격인가

역량

1) 학습 역량이 있는가

2) 실행 역량이 있는가

3) 설득 역량이 있는가

그룹문화와 교육시스템(스폰서와 동료를 보완, 대체, 강화 가능)

1) 좋은 문화와 시스템은 스폰서와 동료의 성품 , 성격 , 역량 을 보완, 대체, 강화 가능

2) 심지어 스폰서의 자질이 출중하더라도 그룹문화와 교육시스템이 부실하면 성장에 한계

3) 스폰서의 자질이 부족하더라도 그룹문화와 교육시스템이 잘 정비되어 있으면 성공 가능

제5장

3벽:
기회(풍요와 자유)의 대가

네트워크 마케팅은 관계기반 판매로 오늘날 최고의 판매기법이다.
구매의 핵심요소가 신뢰이기 때문에
친구 또는 이웃을 대상으로 하는 개인 판매야말로
판매의 미래라는 것을 전 세계의 크고 작은 기업들이 깨닫고 있다.

- 브라이언 트레이시 (《백만불짜리 습관》의 저자이자 세계적인 비즈니스 컨설턴트)

01 사회벽
02 지인벽
03 가족벽

01 인세권
02 연금권
03 여행권
04 상속권

01 시간자유
02 공간자유
03 경제자유
04 사람자유
05 생각자유

01 무자본
02 무출근
03 무채용
04 무상사
05 무잡무
06 무재고
07 무회계
08 무차별
09 무정년
10 무보고

1벽

사회벽:
사회적 평가

네트워크 마케팅에 대한 사회적 편견이 심하다. 제대로 학습하고, 경험하기 전에는 필자 역시 마찬가지였다. 우리나라의 경제 수준이나 법규, 제도가 준비되지 않은 상태에서 너무 빨리, 급하게 도입되면서 수많은 문제를 일으켰기 때문이다. 게다가 문제와 사건을 좋아하는 언론들이 마녀사냥하듯 네트워크 마케팅을 그 자체가 문제가 많은 사업으로 대서특필하곤 했기 때문에 국민들의 가슴속에 편견이 각인되었다.

뭐든 '빨리빨리'를 좋아하는 국민성도 한몫했다. 서구 선진국에서는 몇 년 걸릴 성과를 우리나라 사람들은 불과 몇 달 만에 이루어냈다. 그 빠르고 급한 기질 덕분에 세계 어느 나라에서도 찾아볼 수 없는 속도로 선진국에 진입한 것이다. 그 국민적 기질이 네트워크 마케팅이라고 예외일 수는 없다.

과속은 빠른 성과를 안겨주기도 하지만 잦은 사고도 일으킨다. 비단 네트워크 마케팅뿐만 아니라 사회 각 분야에서 과속의 폐해가 수없이 발생하고 있듯이 말이다. 특히 단기간에 일확천금을 욕망하는 사람들이 네트워크 마케팅으로 그 욕망을 채우기 위해 수단 방법을 가리지 않고 다른 사람들을 이용하고, 속이면서 많은 피해자와 희생자를 양산했다.

일부 네트워크 마케팅 사업자들의 광기로 피해자가 양산되면서 네트워크 마케팅 사업은 본질적으로 문제가 있는 사업으로 평가되었고, 그 사업을 하는 사람들은 누군가를 이용해서 자기 이득을 취하려는 사람으로 즉, 자기 욕망을 위해 다른 사람에게 피해를 주는 사람으로 인식되게 된 것이다. 분명 수많은 희생자를 양산했고, 사회적 물의를 일으켰기 때문에 사회적 인식이 부정적으로 각인된 것은 당연하다. 네트워크 마케팅 사업의 원죄다.

우리나라처럼 유교적 정서가 심한 나라에서는 평판, 체면, 위신이 중요하다. 이와 같은 사회적 인식이 네트워크 마케팅 사업에 뛰어드는데 큰 장벽으로 작용하고 있다. 2, 3, 4장에서 이야기한 네트워크 마케팅 사업의 수많은 기회와 혜택을 포기할 만큼 평판과 체면과 위신의 힘은 강렬하다. '돈 벌려고 남을 이용한다!'라는 평판을 듣기보다는 차라리 죽으면 죽었지 그런 돈은 안 벌고 만다고 생각하는 사람들이 많다.

어렵게 시작했다가도 평판과 체면과 위신 때문에 네트워크 마케팅 사업을 하는 자신을 드러내지 못해 주저하거나 쉽게 포기하는 사람들도 많다. 네트워크 마케팅 사업을 시작하지 못하는 가장 큰 이유도, 시작은 했지만 성공하지 못하는 가장 큰 이유도 평판, 체면, 위신 때문이다. 그리고 그렇게 실패한 사람들은 네트워크 마케팅에 대한 사회적 편견을 더욱 강화시킨다. 실패 또는 포기의 원인을 내 탓하기보다는 남 탓하는 것이 속이 덜 쓰리기 때문이다. 기나긴 역사 동안 사람들이 마녀사냥을 좋아했던 이유다.

사실 조금만 깊이 생각해보면 네트워크 마케팅 사업모델 자체는 성품이나 성격을 가진 생명체가 아니다. 생각할 수 있는 머리도, 행동할 수 있는 손발도 없다. 네트워크 마케팅 사업에 대해 생각하고 행동으로 옮기는 것은 사람이다. 사업모델 자체가 어떤 나쁜 행위를 하는 것이 아니고 이 사업을 하는 사람 중 일부가 자기 욕심과 욕망을 위해 이 사업을 나쁘게 활용하는 것이다.

뿐만 아니라 네트워크 마케팅 사업에서만 희생자가 생기는 것도 아니다. 다른 사업 분야에서도 사돈네 팔촌 재산까지 탕진하는 사업가들이 부지기수다. 다만 다른 사업 분야는 워낙 다양하다 보니 한 분야로 싸잡아 표현하기 힘들다. 반면 네트워크 마케팅 사업은 마녀사냥하듯 말하기가 쉬울 뿐이다.

그러다 보니 수많은 사기꾼들이 있고, 수많은 희생자들이 나오고 있음에도 불구하고 '사업은 원래 그런 거야!'라고 다른 사업 분야에 대해서는 이해하면서 유독 네트워크 마케팅 사업에 대해서만은 그 자체가 나쁜 것으로 쉽게 평가절하하는 사람들이 많은 것이다.

네트워크 마케팅 사업에 대한 사회적 편견이 있는 것은 분명한데 그 편견이 어디에서 비롯되었는가를 생각해봐야 한다. 네트워크 마케팅 사업을 일확천금의 도구로 이용하는 일부 사람들의 비뚤어진 생각이 피해자를 양산해서 사회적 편견이 만들어진 것이다.

로또가 아니고서야 땀과 눈물을 흘리지 않고 떼돈을 벌 수 있는 일은 세상 어디에도 없다. 네트워크 마케팅 사업도 마찬가지다. 일반 사업과 마찬가지로 열심히 공부하고, 치열하게 노력해야 성공할 수 있는 사업이다. 어떤 면에서는 땀과 눈물의 결과를 네트워크 마케팅만큼 정확하게, 시스템으로, 한 치의 오차도 없이 보상으로 계산해주는 사업도 없다.

사회적 편견은 중요하지 않다. 이 사업을 대하는 내 생각과 태도가 중요하다. 사회적 편견이 만들어진 이유를 명확히 인식하고, 그 이유와 다른 바람직한 생각과 태도로 이 사업을 하면 된다. 내 이기심과 욕망 때문에 부도덕한 회사나 탐욕적인 사람과 함께 이 사업을 하지 않으면 된다. 나의 욕망을 위해 다른 사람을 이용하거나 희생양으로 삼지 않으면 된다. 만일 그것이 지켜진다면 편견은 편견일 뿐이다.

한편으로는 사회적 편견이 높기에 아직도 기회가 남아 있는 것이다. 사회적 편견이 없었다면 네트워크 마케팅 시장은 이미 오래전에 검붉은 레드오션(Red Ocean, 이미 잘 알려져 있어 치열한 경쟁을 벌여야 하는 시장)이 되었을 것이다. 그나마 사회적 편견이라는 높은 장벽 덕분에 평범한 사람들도 일반 회사의 소유주처럼 '죽을 때까지는 물론 자녀에게 상속도 가능한 월 천만 원의 수입'을 꿈꿀 수 있는 기회가 아직 남아 있는 것이다.

좋게 생각하면 학력, 건강, 나이 때문에 사회적 약자로 살아왔던 사람들이 잘난 사람들이나 꿈꿀 수 있는 많은 수입과 안정적인 노후 준비를 할 수 있게 해주는 사업이 네트워크 마케팅이다. 내가 아닌 다른 사람의 생각일 뿐인 사회적 편견이라는 장벽 때문에 그 장벽 너머에 있는 소중한 기회를 못 보고 있는 것은 안타까운 일이다.

대다수의 사람들은 자기 생각 때문이 아니라 남의 시선과 평가 때문에 난쟁이처럼 움츠러드는 경우가 많다. 네트워크 마케팅 역시 남의 시선과 평가가 두려워 우리를 난쟁이로 만드는 대표적인 사업 중 하나다. 생각의 난쟁이에게는 장벽 너머 기회가 보이지 않는다. 남이 쳐놓은 장벽 뒤에 움츠리고 있으니 그 너머의 기회들이 보일 리 없다. 심지어 편견으로 똘똘 뭉쳐 있는 듯했던 사람 즉, 장벽을 치던 바로 그 사람들 중 많은 사람들이 네트워크 마케팅을 통해 많은 돈을 벌고, 자유를 만끽하고 있는데도 말이다.

네트워크 마케팅 사업을 권했을 때 처음부터 '우와, 좋은 사업이다! 얼른 같이하자!'라고 반기는 사람은 단 한 사람도 없다. 대부분은 인상을 찡그리며 거부하고, 거절한다. 만남 자체를 기피해버리는 사람도 있다. 그런데, 네트워크 마케팅에서 월 천만, 월 억대 수입을 달성한 성공자들 대부분이 바로 그런 사람 중 한 사람이었다. 관점이 바뀌면 기회가 보이고, 기회가 보이면 생각이 바뀌고, 생각이 바뀌면 행동이 바뀌고, 행동이 바뀌면 운명이 바뀐다.

지인벽: 지인의 상처

네트워크 마케팅 사업을 주저하게 만드는 가장 큰 이유는 지인 영업과 지인 상처에 대한 두려움이다. 물론 최근에는 온라인 마케팅 덕분에 지인이 아닌 대중을 대상으로 사업을 펼칠 수 있는 길이 열리고 있다. 하지만, 아직까지는 대부분 '네트워크 마케팅 사업을 한다'라고 생각하면 지인을 대상으로 영업을 해야 하고, 지인에게 상처받을 각오를 해야 한다고 생각한다.

모르는 사람에게 받은 상처도 아프지만 가까운 사람에게 받은 상처는 몹시 쓰라리다. 게다가 일과 관계없이 친분으로 만날 때는 천사처럼 굴던 사람이 네트워크 마케팅 사업을 전하는 순간 전혀 다른 사람으로 돌변하는 경우도 있다. 네트워크 마케팅 사업을 하는 사람들 전체를 싸잡아서 험담하는 사람도 있고, 기분 나쁘게 비아냥거리는 사람도 있다.

그런 경험을 두세 번만 겪고 나면 돈이고 뭐고 다 싫어진다. 자존감에 큰 상처를 입고 패잔병처럼 나가떨어지는 사람도 많다. 상처투성이가 되어 네트워크 마케팅 사업에 실패했던 사람은 이후 다른 지인이 네트워크 마케팅 사업을 한다고 하면 '하면 안 된다', '상처받는다', '왕따 된다'라며 가장 극렬하게 뜯어말리는 사람이 된다.

1980년대를 전후해서 법규나 제도에 의한 통제 장치가 전혀 없는 상태에서, 세계에서 가장 급한 국민들 앞에 다단계 마케팅 시장이 열리면서 별의별 이상하고 부도덕한 회사들이 난립했다. 지금도 법규나 제도의 허점을 이용해서 나라를 우롱하고, 다른 사람을 사기 쳐서 돈을 벌려는 사람들이 많다.

이런 역사적 이유와 돈만 벌면 된다는 사람들 때문에 대다수 한국인들이 네트워크 마케팅 사업에 대해 부정적인 인식을 가지고 있다. 때문에 그와 같은 한국인 중 한 명인 지인에게 네트워크 마케팅 사업을 제안하는 것은 때로는 모멸감을 감수해야 하는 일이다. 앞에서 이야기한 사회적 평가, 체면, 위신보다 더 아픈 것이 가까운 지인에게 당하는 상처이기 때문이다.

하지만 잘못된 역사, 잘못된 회사, 잘못된 사람들이 만든 나쁜 인식과 편견이 정답인 것은 아니다. 그럼에도 세계적으로 수십 년간 천문학적 매출을 자랑하며 승승장구하고 있는 합법적 네트워크 마케팅 회사들도 많고, 바람직한 신념과 태도로 네트워크 마케팅 사업에서 큰 성공을 이룬 사람들도 많기 때문이다.

합법적인 네트워크 마케팅 회사에서 바람직한 사업 활동을 통해 회사원으로서는 상상할 수 없는 풍요와 자유를 누리고 있는 사업자들이 많다. 그들은 평범한 사람들은 꿈도 꾸기 어려울 정도로 많은 소득을 벌어들이면서도 회사에 출근하지도, 상사에게 지배당하지도 않는다. 그야말로 시간의 자유, 공간의 자유, 경제의 자유, 사람의 자유, 생각의 자유를 죽을 때까지 누리다, 상속까지 시켜줄 수 있다.

만일 사람들을 이용하고, 사기를 쳐서 큰 부를 이루었다면 절대로 수십 년간 그처럼 자유롭고, 여유롭게 살 수 없다. 사기를 당한 사람들도 초기에는 당할 수 있어도 시간이 쌓이고, 경험이 쌓이면 자기가 이용당하거나 사기당했다는 사실을 알게 되기 때문이다. 사기를 쳐서 큰 부를 이루었다면 수많은 희생자가 있었을 것이고, 시간이 흐르고 그런 사람이 많아지면 반드시 법적 처벌을 받거나, 사회적으로 매장되기 마련이다.

네트워크 마케팅 사업을 하다 보면 지인 영업의 어려움과 상처는 분명히 존재한다. 심리적으로 상당히 높은 장벽인 것은 분명하다. 하지만 대안이 있다. 내가 다루는 네트워크 마케팅 아이템이 윤리적으로 전혀 거리낌이 없으면 된다. 오히려 사람들의 건강이나 편리에 큰 도움이 되고, 경제적으로도 큰 기회가 되는 아이템이라면 지인들의 시선과 인식은 중요하지 않다. 내가 틀린 것이 아니고 그(혹은 그녀)가 틀린 것이기 때문이다.

몇 해 전 모 NGO 단체 임원진을 대상으로 《나는 내가 원하는 삶을 살고 싶다》 저자특강을 무료로 한 적이 있다. 그때 임원 중에 젊은 여성 한 분이 계셨는데 필자의 강의를 듣고 팬이 되었다며 필자와의 교육사업, 문화사업도 여러 번 제안했던 분이다. 나중에 그 NGO단체 이사장님도 필자와 함께 네트워크 마케팅을 하게 돼서 그 임원에게 함께하자고 제안했더니 "네트워크 마케팅하는 사람들은 다 사기꾼이에요. 이사장님, 그런 사람들과 상종하지 마세요!"라는 식으로 반응하더라는 것이다.

기가 차고 어이가 없었다. 좋은 회사 다니는 사람은 다 좋은 사람이고, 네트워크 마케팅하는 사람은 다 나쁜 사람이라는 식이니 말이다. 직업으로 사람의 성품과 본질을 평가할 수는 없다. 그리해서도 안 되고 말이다. 고상한 직업을 사기의 수단으로 이용하는 사람도 많고, 남들이 인정해주지 않는 직업이지만 성심성의를 다해 사회의 안녕과 발전에 기여하는 사람도 많기 때문이다.

나이도 어리고, 경력도 짧은 사람이었지만 필자는 사회적 잣대로 그녀를 평가하지 않았다. 본업이 있으면서도 봉사를 위해 NGO단체를 돕고 있는 착한 사람으로 보였으니 말이다. 하지만 편협한 성품과 섣부른 성격을 안 이상 함께 삶과 꿈을 논할 수 없는 사람이었다. 자신의 편협하고 섣부른 잣대에 의해 언제든지 돌변할 수 있는 위험한 사람이기 때문이다. 'NGO단체 임원'은 단지 자기 포장용 도구일 뿐이었다. 그녀는 자연스럽게 내 인연노트에서 지워졌다.

만일 평소에는 천사처럼 굴던 사람이 단지 내가 네트워크 마케팅 사업을 한다는 사실만으로 전혀 다른 사람으로 돌변한다거나, 천시한다거나, 비아냥거린다면 그 사람은 내 인생에서 지워도 되는 나쁜 인연이다. 사업이 중요한 것이 아니고 사람이 중요하다. 누군가를 평가할 때는 성품과 성격, 품행과 언행을 보고 평가해야지 단지 네트워크 마케팅 사업을 하니 나쁜 사람이라고 평가한다면 그런 사람과는 인연을 이어갈 필요가 없다. 나를 이용할 기회를 노리면서 양의 탈을 쓰고 내 곁에 숨어 있었던 늑대일 확률이 높기 때문이다.

세상은 넓고 만날 사람은 많다. 좋은 사람만 만나기에도 인생은 너무 짧다. 우연한 기회로 네트워크 마케팅 사업을 하면서 오랫동안 잘 알고 있다고 생각했던 사람 중에서 낯선 사람을 많이 만난다. 사람은 고난과 갈등이 왔을 때, 돈과 기회와 위험이 관련되었을 때 본성이 드러난다. 네트워크 마케팅 사업은 내가 알고 지냈던 사람의 본성과 본질을 드러나게 해주는 아주 좋은 도구다.

내가 하는 일을 함께하지는 못하더라도 내 입장과 상황, 내 삶과 꿈을 이해하고 배려하는 사람이 진짜 인연이다. 함께했던 세월의 길이보다 더 중요한 것이 그 사람의 본질과 본색이다. 내가 정중하게 제안했음에도 불구하고 단지 내가 네트워크 마케팅 사업을 제안했다고 해서 무례하게 군다면 그 사람은 내 인연에서 지워야 할 사람이다. 그 사람은 본래 무례한 사람이었던 것이다. 자신에게 손해가 생길 것 같으면 언제라도 무례하게 돌변할 사람이었던 것이다.

일부러 지인을 시험해서는 안 되지만 양의 탈을 쓰고 내 곁에 숨어서 내 시간과 자원을 낭비시키고 있는 사람이 있다면 네트워크 마케팅 사업이 그 사람이 누구인지 알려줄 것이다. 그 사람으로 인해 나중에 내가 더 크게 이용당하거나, 사기당하거나, 상처받을 수 있었던 위험을 미리 대비하고, 예방할 수 있게 해줄 것이다.

가족벽:
가족의 반대

A는 부인과 함께 명동 입구에서 카페를 운영하고 있다. 어느 날 지인이 카페로 찾아와 네트워크 마케팅 사업을 제안했다. A는 화들짝 놀라 손가락으로 입술을 가리며 이야기를 중단시켰다. 그 이유는 A의 부인이 네트워크 마케팅의 '네' 자만 들어도 경기를 일으킬 정도로 싫어했기 때문이다.

그 이유가 무엇인가 하니, A의 부인 집안이 다단계하는 친척 때문에 풍비박산이 났었다고 한다. 돈은 돈대로 날리고, 그 친척은 감옥까지 갔다는 것이다. 1990년대 초 다단계 관련 법과 제도가 마련되지 않은 상황에서 단기간에 떼돈을 벌려는 사람들이 다단계로 사기를 칠 때 그 친척이 딱 걸려든 것이다. 이후 그 집안은 '다단계'의 '다' 자만 들어도 경기를 일으킨다고 한다.

필자의 상위 스폰서 중 한 명은 국책은행에서 30년간 근무했다.

부동산학 박사과정을 수료한 그녀는 경제경영 분야 베스트셀러 저자이자 300억 원대 자산가이기도 하다. 필자가 회장을 맡고 있는 마포나비소풍 독서모임에 저자특강을 하러 왔다가 인연을 맺게 되었다.

그녀도 필자처럼 처음에는 단순 소비자였다. 이후 제품의 효능을 직접 체험하자 자연스럽게 주변에 알리게 되었다. 지금은 제법 잘나가는 사업자가 되었다. 그녀는 불과 2년여 만에 월 2천만 원의 직급에 다다랐다. '인재는 어디 가나 인재구나!'라는 사실을 느끼게 해주었다.

그런데 그녀의 남편은 아직도 부인이 네트워크 마케팅 사업을 하는지 모른단다. 무려 월 2천만 원의 수당을 받고 있는데도 남편이 알면 못 하게 말릴 것이기 때문에 이야기하지 않고 있다는 것이다.

이처럼 네트워크 마케팅 사업 시 사회적 평가나 지인의 상처보다 더 높은 장벽이 가족의 반대다. 사회적 평가는 무시하면 되고, 상처를 줄 것 같은 지인에게는 이야기하지 않으면 된다. 하지만 가족은 무시할 수도 없고, 숨길 수도 없다. 내가 무엇을 하는지 가까이에서 늘 지켜보며 수시로 걱정하고, 지적하고, 비난하고, 반대하기 때문이다. 네트워크 마케팅 사업을 하는 데 가장 큰 걸림돌이다.

주변에서 주워들은 것 외에는 직접 경험해본 적도 없고, 공부해본 적도 없기 때문에 실제로는 아는 것이 전혀 없는 사람조차 네트워크 마케팅 때문에 단 한 번이라도 내 가족이 상처를 받거나 피해를 당하면 극렬한 반대론자가 되는 것은 당연한 일이다.

본인이 네트워크 마케팅 사업을 했다가 실패한 사람 역시 극렬한 반대론자가 된다. 대다수의 사람들은 내 탓보다 남 탓을 좋아한다. 상처가 클수록, 실패가 클수록 더욱 그렇다. 상처와 실패 자체도 아픈데 그 책임까지 자신에게 돌리면 감당하기 힘들기 때문이다. 남 탓, 환경 탓, 세상 탓으로 돌려야 숨이라도 쉴 수 있을 것 같기 때문이다. 마녀사냥, 왕따 사냥이 끊이지 않는 이유다.

그러니 너무 싫고 무서운 네트워크 마케팅을 '내 가족이 한다고?'라는 생각이 들면 수단과 방법을 가리지 않는다. 설득하다 안 되면 비난하고, 위협한다. 심지어 절교를 선언하는 사람도 있다. "엄마, 이렇게 말리는데도 계속하면 이젠 엄마 안 볼 거야!", "누나, 미쳤어? 사기꾼들이나 하는 다단계를 왜 해?"처럼 말이다.

필자도 직접 경험해보았고, 산하의 800여 명의 회원들을 통해서도 종종 듣는 이야기다. 아무리 좋은 네트워크 마케팅 사업을, 아무리 정중하게 제안해도 시작하지 못하는 가장 큰 이유, 시작했다가 중도에 포기하는 가장 큰 이유 중 하나가 가족의 반대다.

그런데 정말 네트워크 마케팅이 그렇게 문제만 가득한 사업일까?

네트워크 마케팅 사업모델이 미국, 독일, 일본 등의 선진국에서 30년 넘게 수십조 원의 매출을 올리는 글로벌 사업으로 성장하고 있는 것은 분명 이유가 있다.

네트워크 마케팅 사업이 정말 사람들을 이용만 하고, 피해만 준다면 30년 이상 절대 유지될 수 없다. 특히 징벌적 단죄를 하는 선진국에서는 더욱 그렇다. 큰 죄를 지은 사람에게는 몇백 년의 감옥형을, 회사에게는 몇십조 원의 벌금형을 부과하는 미국과 같은 사회에서 사람들을 이용하고, 사기를 치는 사업이 수십 년간 살아남을 확률은 제로다. 한두 해라면 모를까.

문제의 원인은 100% 사람이다. 사기꾼이 차린 회사를 선택하면 나도 사기꾼이 된다. 좋은 회사를 선택했어도 사기꾼 같은 상위 스폰서를 선택하면 나 역시 사기꾼이 된다. 좋은 회사, 좋은 스폰서를 선택했어도 내가 사기꾼처럼 사업하면 그냥 사기꾼이다. 사업모델이 사기꾼 짓을 하는 것이 아니라 사람이 사기꾼 짓을 하는 것이다.

네트워크 마케팅은 그저 하나의 사업모델일 뿐이다. 여러 가지 사업방식 중 하나일 뿐이다. 사업모델 자체는 영혼도 없고, 성품도 없고, 성격도 없다. 사리사욕을 위해 네트워크 마케팅 사업모델을 이용한 사기꾼들이 누군가의 가족들에게 상처를 주고, 실패하게 만들고, 심지어 패가망신시켰기 때문에 가족이 네트워크 마케팅하는 것을 극렬히 반대하는 사람들이 생긴 것이다. 자라 보고 놀란 가슴은 솥뚜껑을 보고도 놀라기 쉬우니 말이다.

그런 가족의 생각이 100% 옳다면 존중해야 한다. 배우자가 이혼까지 불사하겠다고 하면 고민해봐야 한다. 성공보다 중요한 것이 가족이니까. 가족을 위해 성공하려는 것이니까. 하지만 가족이 얕은 생각, 게으른 판단으로 반대하는 것이라면 다른 문제다. 내가 신중하게 검토한 결과 회사와 스폰서가 정말 괜찮다는 확신이 든다면 제대로 학습하고, 경험해서 천천히 가족을 설득하는 것이 옳다. 일생일대의 기회는 쉽게, 자주 찾아오지 않기 때문이다.

가족들의 반대를 넘지 못하는 사람의 십중팔구는 자기 체험도 자기 학습도 부족한 상태에서 어설프게 가족들에게 이야기를 꺼냈다가 집단적인 비난과 공격에 한마디도 응수하지 못하고 나가떨어진 경우다. 마치 무장도 하지 않고 전쟁을 일으킨 꼴이다.

가족들에게 이야기를 꺼내기 전에 체험과 학습은 필수다. 먼저, 자기 체험을 통해 정말 사람들에게 도움이 되는 회사와 제품인지 확인해야 한다. 그다음에는 확인한 것을 구두로 설명할 수 있도록 이론적으로 학습을 해야 한다. 그렇게 체험과 학습으로 무장된 상태에서 가족들에게 말을 꺼내야 한다. 그래도 동의를 얻어내기가 쉽지 않으니 말이다.

가족의 반대가 극심할수록 치밀한 자기 체험과 자기 학습이 필요하다. 체험이 쌓이고, 학습이 쌓여서 확신과 이론으로 무장되면 그때 비로소 가족에게 조심스럽지만 확신을 가지고 이야기를 꺼내는 것이 맞다. 그래야 설득 확률이 높아진다. 만일 반대하더라도 내가 흔들리지 않고 몰입할 수 있는 힘도 학습과 체험에서 나온다. 그리고 가족은 내가 어느 정도 성공해서 실질적인 수입이 들어오는 것을 목격하면 대부분 내 편이 된다. 가족의 반대는 사랑에서 비롯된, 나의 성공과 안전을 위한 반대이기 때문이다.

올바른 자신: 태도, 지식, 기술

태도 (Attitude)

1) 네트워크 마케팅을 내 자본을 투자한 사업처럼 진짜 사업으로 대하고 있는가

2) 네트워크 마케팅에 내 생각과 시간과 자원을 최우선으로 투자하고 있는가

3) 사업에 있어 사람이 가장 소중하다는 것을 마음으로 인식하고 몸으로 행하고 있는가

지식 (Knowledge)

1) 네트워크 마케팅에 대한 이론적 지식을 충분히 가지고 있는가

2) 내가 유통대행하고 있는 상품에 대한 지식을 충분히 가지고 있는가

3) 함께 사업을 해야 하는 사람에 대한 지식을 충분히 가지고 있는가

기술 (Skill)

1) 경청스킬

2) 대화스킬

3) 설득스킬

| Epilogue |

N잡 시대 최고의 1인기업 사업모델

필자는 퇴직 후 1인기업도 해봤고, 1인지식기업도 해봤다. 그리고 네트워크 마케팅도 해보았다. 직접 경험만 한 것이 아니라 책, 사람, 세미나, 커뮤니티를 통해 많은 공부도 함께하면서 말이다.

결론은 네트워크 마케팅이야말로 N잡 시대 최고의 1인기업 사업모델 중 하나라는 것이다. 취업을 통한 회사생활, 창업을 통한 회사경영과 비교했을 때 무려 19가지(10무, 5자, 4권)의 장점을 가지고 있으니 말이다.

단점인 3가지의 벽(사회벽, 지인벽, 가족벽)이 있지만 이것들은 네트워크 마케팅 사업 자체의 위험이 아니다. 사람들의 편견에서 비롯된 생각의 장벽일 뿐이다. 내가 정신적으로 감당할 수 있을지 없을지의 문제일 뿐 그것 때문에 엄청난 위험이 발생하는 사업상의 문제는 아니다.

네트워크 마케팅에 대한 편견이 만들어낸 사회벽, 지인벽, 가족벽은 무시할 수 없는 장벽이긴 하다. 사회적 동물인 인간에게 다른 사람들의 시선과 평가는 매우 강력하게 작동하는 행동 촉진제 또는 행동 억제제이기 때문이다.

수많은 TV 경연 프로그램을 보면 인간의 인정 욕구, 인기 욕구가 얼마나 강력하게 행동을 촉진하는지 알 수 있다. 공부를 하라고 하면 그렇게도 하지 않던 아이들이 인정과 인기를 위해 스스로 날밤을 새우고, 땀이 범벅이 되도록 노력하고 또 노력한다. 반대로 편견은 도전과 노력을 억제시킨다. '다른 사람들이 나를 어떻게 볼까?' 하는 두려움은 행동을 억제한다. 아무리 좋은 네트워크 마케팅 사업을 제안해도 주춤거리거나 거절하는 사람들 중 열에 아홉은 편견에 대한 두려움을 이야기한다.

하지만 필자의 생각은 이렇다. 좋은 제품을 착한 가격으로 제공함으로써 수많은 사람들의 삶의 질을 개선해주는 네트워크 마케팅이라면 다른 사람들의 편견은 그야말로 편견일 뿐이다.

지금처럼 편견이 심해진 이유는 크게 두 가지다. 저질 상품의 '고가 강매'와 멀쩡한 직장을 그만두게 하는 '전업 강요'다. 즉, 집요한 고가 강매와 전업 강요에 시달린 사람들이 자기방어를 위해 자연스럽게 편견의 장벽으로 울타리를 치게 된 것이다. 당연한 결과다. 네트워크 마케팅 회사와 사업자들이 반성해야 할 대목이다.

그 잘못을 제대로 인식하고, 더 이상 저지르지 않으면 된다. 편견의 원인이 된 저질 상품을 고가로 집요하게 강매하는 행위, 멀쩡하게 회사를 잘 다니고 있는 사람을 꼬드겨서 전업을 집요하게 강요하는 행위를 하지 않으면 된다. 그 대신 좋은 제품을 착한 가격으로 유통하고, 상대방의 생각과 선택을 존중하는 태도로 네트워크 마케팅 사업을 하면 된다.

네트워크 마케팅의 소비자가 될 것인지 사업자가 될 것인지, 사업자가 된다면 본업으로 할 것인지 부업으로 할 것인지는 본인의 생각과 선택을 존중하면서 말이다. 네트워크 마케팅 사업을 하되 이 부분만 잘 지킨다면 편견은 그야말로 편견일 뿐이다.

본인이 네트워크 마케팅 사업을 위와 같은 자세와 태도로 올바르게 하고 있음에도 불구하고 앞뒤 안 가리고 편견의 잣대를 들이대는 사람이 있다면 그 사람과의 인연은 다시 생각해봐야 한다. 그런 사람의 거절은 상처로 받아들일 가치가 없다. 천 길 물속보다 알기 어려운 한 길 사람 속의 본색과 본질을 알게 된 절호의 기회라고 생각해야 한다. 내 곁에 있었지만 내가 몰랐던 위험한 사람을 발견한 것이니 말이다.

나의 성품, 성격, 언행으로 나를 평가하는 것이 아니라 내가 네트워크 마케팅 사업을 하고 있는 사람이니 '질이 낮다', '수준이 낮다'라고 평가하는 사람이 있다면 그 사람이야말로 질이 낮고, 수준이 낮은 사람이다. 네트워크 마케팅 사업은 수많은 삶의 방편 중 하나일 뿐이다. 그것으로 나라는 사람의 본질을 평가할 수도 없고, 평가해서도 안 된다. 게다가 자신이 생각하기에 좋은 회사 다니면 착한 사람이고, 자기가 생각하기에 나쁜 회사 다니면 악한 사람이라고 평가하는 것, 그리고 그런 생각을 섣부르고, 무례하게 노출하는 것은 그 사람이야말로 질이 낮고, 수준이 낮은 사람이라는 증거다.

그런 사람은 내 곁에서 자기 속내를 숨기고, 나를 이용하고 있거나 이용할 기회를 노리고 있었던 사람이다. 그런 사람은 아무리 오랜 인연이라도 더 이상 내 곁에 두어서는 안 될 사람이다. 내 처지와 상황이 바뀌면 언제든지 돌변할 수 있는 위험한 사람이기 때문이다. 필자도 대기업 퇴직 후 필자 곁에 그렇게 숨어 있었던 사람을 꽤 많이 발견했다. 자기 이익과 관련 있을 때만 친절한 척, 가까운 척하는 사람 말이다.

네트워크 마케팅 사업은 내 주변을 정화시켜준다. 내 주변에서 좋은 사람인 척, 착한 사람인 척 양의 탈을 쓰고 있는 사람들의 탈을 벗겨내서 진짜 좋은 사람과 좋은 사람인 척했던 사람으로 내 주변을 정리시켜 준다. 그러니 네트워크 마케팅 사업을 소개했을 때 그에 대한 지인들의 반응과 태도를 상처로 받아들이지 말고 내 주변을 정리할 수 있는 정보로 삼으면 된다.

본성이 진짜 좋은 사람은 내가 네트워크 마케팅 사업을 한다고 해서, 본인이 이 사업에 관심이 없다고 해서 나를 함부로 대하거나 무례하게 거절하지 않는다. 거절도 얼마든지 정중하게 할 수 있기 때문이다. 어제까지는 내게 착하고 친절했던 사람인데 내가 네트워크 마케팅 사업을 한다고 이야기하는 순간 함부로 하고, 무례하게 대하는 사람은 아무리 오랜 세월 함께했던 사람이라도 관계를 단절하는 것이 좋다. 인연은 함께한 세월보다 그 사람의 본성과 나를 생각하는 본심이 훨씬 중요하기 때문이다.

'사람은 겪어봐야 안다'라고 했다. 겪어봐야 알 수 있는 기회는 주로 그(혹은 그녀)와 돈, 일, 사업, 기회, 위기 등이 직접적으로 결부되었을 때이다. 다른 팀에 있었을 때는 천사 같던 사람이 같은 팀으로 오자 자기밖에 모르는 이기적인 본색을 드러내거나 그냥 알고 지낼 때는 정말 좋은 사람 같아서 함께 사업을 시작했더니 자기 돈과 기회만 챙기는 야수의 본색을 드러내는 사람처럼 말이다.

네트워크 마케팅 사업을 소개해보면 그(혹은 그녀)와 돈, 일, 사업, 기회, 위기를 겪어보지 않고도 그(혹은 그녀)의 본질과 나에 대한 본심을 미리 알아채게 해준다. 자기는 공부해본 적도, 경험해본 적도 없으면서 서당개 풍월로 섣부르게 조언하고 어설픈 충고를 일삼는 사람, 정중하게 소개했음에도 무례하게 거절하는 사람은 그것이 그 사람의 본질이고 본심이다. 이처럼 본질과 본심에 존경할 만한 구석이 없는 사람의 편견이나 반대, 거절 때문에 상처받을 필요는 전혀 없다. 내 삶, 내 꿈, 내 기회가 중요하지 그런 사람의 생각과 판단이 뭐가 중요하단 말인가?

내가 아닌 누군가의 섣부른 편견 때문에 나를 진정한 풍요와 자유의 땅으로 인도해주는 절호의 기회를 놓치지 않길 바란다. 당장 먹고 살기 위해 또는 언제 올지 모를 풍요로운 미래를 위해 더 이상 현재의 자유와 행복을 저당잡힌 채 살아가지 않길 빈다.

네트워크 마케팅 사업의 성공을 보장하는 삼위일체론이 있다. 회사, 사람, 자신이다. 좋은 회사를 고르고, 좋은 사람을 고르고, 내가 제대로 한다면 분명 성공할 수 있다. 누구나 19득(10무, 5자, 4권)의 선물을 누릴 수 있다. 그 기회와 풍요의 땅으로 당신을 초대한다.

그리고 본인이 거인이 돼서 기회의 땅, 풍요의 땅으로 당신의 소중한 사람들을 초대하길 바란다. 편견이 두려워 주춤거리는 사람들을 도와주길 바란다. 노후 준비가 안 된다는 것을 빤히 알면서도 당장의 안정감과 변화에 대한 두려움 때문에 이러지도 저러지도 못하고 매일 불안한 직장생활을 이어가고 있는 사람들을 도와주길 바란다.

만일 당신이 네트워크 마케팅에 대한 편견을 극복하고, 올바른 지식을 학습하고, 제대로 된 경험을 쌓아 그 깨달음과 노하우를 주변에 나눠주는 거인이 된다면 당신의 풍요와 자유, 성공과 행복은 따놓은 당상이다. 교학상장(教學相長, 가르치고 배우면서 함께 성장)하는 것이 아니라, 교자대장(教子大長, 가르치는 자가 가장 크게 성장)하기 때문이다.

트럼프는 왜
네트워크 마케팅을 하고 싶어 했을까?

초판 1쇄 발행 | 2023년 05월 16일
초판 2쇄 발행 | 2023년 11월 20일

지은이 | 김하준
펴낸이 | 유수하
편집 | 김효선
디자인 | 아르케
펴낸곳 | 수하

등록번호 | 제2023-000026호
출판등록 | 2023. 02. 01

주소 | 서울특별시 영등포구 국회대로70길 15-1 1004호
전화 | 050-6650-8498
팩스 | 0504-084-8498
이메일 | soohayu@naver.com

ISBN 979-11-983088-0-1 03320
값 15,000원